JN100679

わたしの青春、台湾

語り 傅楡（フー・ユー）　筆記・構成 陳令洋（チェン・リンヤン）　翻訳監修 関根謙 吉川龍生

五月書房新社

【本文中の表記について】


◉本文中の［　］で示された部分は、訳者による補足である。

◉人名のルビは、中国語読みを原則とし、平凡社版の「中国語音節表記ガイドライン（メディア向け）」に準拠してカタカナで付した。なお、香港出身者で、日本においてイングリッシュネームが広く通用している場合は、そちらでルビを統一した。

◉事項・名称などで、日本語読みが広く通用している場合は、ひらがなでルビを付した。

◉作品名・番組名・書名については、決まった邦題がある場合は邦題で表記し、特にない場合は訳者が独自につけるか、原題に英題を付して原題の意味を注釈に示すようにした。

◉注釈で、【原注】の表記があるもの以外は、訳者によるものである。

◉「原住民」という表記は、台湾で自称として使われ、日本の学会や刊行物でもそのままの用法が定着しており、差別的な含意はない。

◉本書における「華僑」「華人」の使い分けは、原書の通りである。

◉原書のタイトルは『我的青春、在台灣』だが、英題の正式な表記は「Our Youth in Taiwan」となっている。

語り◉傅楡
筆記・構成◉陳令洋
監訳◉関根謙
吉川龍生
翻訳◉藤井敦子
山下紘嗣
佐髙春音
翻訳協力◉劉怡臻
協力◉福士織絵
太秦株式会社
装幀◉川原樹芳
大柴千尋
株式会社100KG
制作進行◉笠井早苗
組版・編集◉片岡力

日本の読者の皆さまへ

日本の友人の皆さま、こんにちは！

わたしはドキュメンタリー映画『私たちの青春、台湾〔原題・我們的青春、在台灣〕』[1]の監督、傅榆です。

この映画が日本で公開できる機会を得て本当に嬉しく、また『わたしの青春、台湾』というわたしの成長過程を語った本が日本で出版されることになり、たいへん光栄に思っています。しかし喜びを感じると同時に、かなり複雑な思いも心をよぎります。この場を借りてそういう感情を友人の皆さんと分かちあいたいと思います。

この映画、あるいはこの本が、日本の皆さんに見ていただけるようになったのは、この二年の

1　**『私たちの青春、台湾』**　二〇一七年製作のドキュメンタリー映画。二〇一四年「ひまわり運動」前後の、陳為廷・蔡博芸という二人の若者の活動を中心に、その二人と傅榆監督との関わりを記録した作品。二〇一八年金馬奨最優秀ドキュメンタリー映画賞、二〇一八年台北映画祭最優秀ドキュメンタリー映画賞を受賞。日本では、太秦（株）の配給で、二〇二〇年一〇月三一日から劇場公開。

傅榆（フー・ユー）　二〇二〇年八月

間にわたしの身に起こった大きな事と深い繋がりがあります。もしも映画『私たちの青春、台湾』が金馬奨を獲得せず、わたしの受賞スピーチが台湾と中国大陸の間の応酬を引き起こしていなかったら、『わたしの青春、台湾』というこの本が世に出ることはなく、この映画も台湾の夥しいインディペンデント・ドキュメンタリーと同じように、映画の海の中に埋没してしまっていたでしょう。

金馬奨でのスピーチの後、わたしは多くの称賛と非難の声を同時に浴びましたが、わたしにとって極めて意義深いドキュメンタリー映画を撮って間もないときで、身体中エネルギーが漲り、自分の力で夢をかなえていけると思っていました。わたしが抱いていたのは、映画や政治、そしてさらに遠大な理念をも包括するような夢でした。

「多くの人々はこの映画が政治を語っているだけのものだと思うでしょうが、実はそれよりもさらに広く、青春を論じているのです」

この言葉はわたしの受賞スピーチの中にあるのですが、注意を向ける人はあまりいませんでした。多くの人々は政治的な意義からこの映画を理解していますが、制作者のわたしからすれば、それはたいへんに残念なことです。

二〇一八年一一月の受賞から現在までだけでも、政治的には確かに多くのことが起こりました。香港では一連の抗議活動が発生し、中国政府は大陸と香港における言論の基準を急速に厳しくし、しかも当面台湾との各種の交流を中止しました。一方、台湾ではこうした状況を受けて、世論調査で低迷が続いていた民進党が次第に盛り返し、総統選における再選のチャンスを手に入れました。その後ほどなくして、Covid-19（新型コロナ感染症）がパンデミックを引き起こし、多くの国家が中国政府と自国の関係を意識しはじめ、そしてついに台湾の存在を意識するようになってきました。いま香港の民主派は非常に厳しい状況に置かれており、抗議に立ち上がった多くの人々の一人ひとりが、監獄に入れられる恐怖に直面しています。この中には、わたしの映画に登場した「学民思潮」[2]の黄之鋒（ジョシュア・ウォン）[3]氏や周庭（アグネス・チョウ）[4]氏をはじめたくさんのメンバーが含まれています。こうした政治上の事態、および台湾と中国大陸、そして香港との間の関係は、確かにこのドキュメンタリー映画とそれぞれ深く関係しています。

しかし映画『私たちの青春、台湾』は、単にすでに過去となった歴史を記録したり、今後引き続いて起こるかもしれない何らかの局面を予見したりするものではありません。最も重要なことは、この映画が青春に関するものであること、成長に関するものであること、希望と失望に関するものであること、さらには自己嫌悪にどう立ち向かっていくのかに関するものだということです。こういうことは、かりに政治的な角度から考えることがなくとも、心が青春の状態にある人なら誰でも直面するはずの人生の課題なのです。

---

2 **学民思潮** 香港の学生運動・民主化運動の組織。二〇一六年活動停止。詳細は、第五章の原注参照。

3 **黄之鋒** 一九九六年、香港生まれ。香港公開大学在学（二〇二〇年八月現在）。学生運動団体「学民思潮」の発起人で、政党「香港衆志（デモシスト）」の事務局長を務めていたが、二〇二〇年六月脱退。「香港衆志」は、政党としても解散した。

4 **周庭** 一九九六年、香港生まれ。香港の民主化運動活動家で、「学民思潮」のスポークスマンだった。二〇一六年「学民思潮」解散後、黄之鋒らと「香港衆志」を結成。二〇二〇年六月脱退。日本語に堪能で、日本での知名度も高い。

わたし個人からすれば、いまこうしてこの短い文を書いていても、ひどくジレンマを感じてしまいます。

それはわたしが二年前のあのエネルギーに満ちた状態から、すでに何か喪失感の伴う憂鬱な傾向に陥っているからです。これはもちろん、わたしを取り巻く大きな環境が変動したことと関係があり、個人の心理的なファクターとも関係があります。でも詰まるところ、わたしはもはや受賞した当時のあのエネルギッシュな自分ではなく、もはやあのどこにでも自分の理想を宣伝しに行くような活動的なわたしでもないのです。こういう状態でいるのに、これからこの映画を観て、この本を読む日本の友人の皆さんに、わたしはどういうふうに向かい合えばいいのでしょうか。いっそのこと、この文章を書くことからすぐにでも逃げ出してしまいたいとさえ思いました。

しかし内心の激しい葛藤の末に、いまこの時点のわたしは、この文章を書くように勧めてくれた太秦株式会社と五月書房新社に感謝申し上げたいと思っています。書くことによって、自分のいまの状態や、このドキュメンタリー映画と世界との関連について真剣に向き合う機会ができたからです。

この映画を撮り終わったとき、観衆がわたしの映画から力を得て、彼ら自身の力でそれぞれの夢を実践していくようになることをとても期待していました。そればかりか、天狗になっていたわたしは、自分こそ彼らの生きたお手本なのだとまで尊大に思っていたのです。しかしその後は、大小さまざまな衝撃を経験した反動があり、さらに、香港での事態から生じたより深い無力感もあって、ひたすら身を隠したいと思うようになっていました。

しかしいま、この時点で、わたしは何かすっきりとしたように感じています。わたしはどうやら自分自身に対して、そして自分の作った映画に対して、間違った期待を抱いていたのではないかと気がついたのです。本当は、この映画はそれ自身の生命力があり、異なる時期や状態のもとで、わたしという制作者にそれぞれ異なった影響を与えていました。

このドキュメンタリー映画を作ったからこそ、現在のわたしには喪失感はあるものの、絶望に至ることはありません。憂鬱ではあるものの、これからも生活を継続し、目標を求め続けることを何とかして諦めないでいようと願っているのです。人生というのはどうやら、こういうものなのかもしれません。いつも高みにいられるわけではないけれど、永遠に低いところに甘んじることもなく、いつまでも流れ続けていくのです。このドキュメンタリー映画を作ったからこそ、こうした希望と喪失がすべて一つの過程に過ぎないと、わたしには信じられます。そしてすべては過程に過ぎないとしても、その一つ一つがたとえようもなく重要なのです。

いま現在、この時点で、マイナスのエネルギーが充満して低迷するわたしではありますが、やはりそう信じていたいと願っています。

もちろんわたしのように喪失感を抱く多くの人が、この映画を観ることによって、そしてこの本を読むことによって、わたしがどうしてこんなふうに感じているかを理解してくれるよう期待しています。

わたしのこの想いが、ドキュメンタリー映画『私たちの青春、台湾』と本書『わたしの青春、台湾』に興味を持ってくれた日本の友人の皆さんに、しっかり伝わっていくことを心から願っています。多くの人々が時間を作ってわたしの映画に足を運び、本書を手に取ってくれますように。

傅楡『わたしの青春、台湾』

原題・『我的青春、在台灣』

目次

出版の経緯

衛城出版編集部

一九八七年に台湾の戒厳令が解除され、三八年の長きにわたった戒厳令の時代が終わった。しかし台湾はこの時から引き続いてただちに太平の歳月を迎えたわけではない。長期に及んだ権威主義体制から民主主義体制に進んでいくには、社会の内外で激しい変化を越えなければならず、抑圧されてきた声が一気に噴き出ることもあれば、価値観とアイデンティティの分岐が表面に剝き出しになることもあった。我々はこの間の歴史上の道標となったニュースの数々をいとも容易く列挙することができる。たとえば五・二〇農民運動†、最初の台北、高雄市長および省長の直接選挙、最初の総統直接選挙……などなど。しかしながら、台湾で実際に生活している人から見れば、過去三〇年の政治や社会の変遷は、単発的な事件を超越して、日常の暮らしの深く覆われたレベルにおいて、長期にわたって作用してきたものだ。これらは集団の歴史の一部分ではあるが、細やかな部分の理解は、「集団」の表層を突きぬけ、個人の生命史に入りこむミクロな視角

【原注】† **五・二〇農民運動** 一九八八年五月二〇日に起こった農産品輸入拡大に抗議する大きな農民運動。

によってのみ、はじめて鮮明に見えてくる。

このたび傅榆（フー・ユー）の『わたしの青春、台湾』の出版にあたり、我々は傅榆個人の人生経験の次元を通して、さらに細やかに過去三〇年の台湾史を検証していくという意義があることを認識していた。この書は「戒厳令解除後の個人史」ということができよう。しかも物語の主人公傅榆は、敏感で内向的、絶えず他者と自己の視角の間に行き来し、内面の省察の回想を進めるのである。――彼女がまさにこのような内省者であったが故に、成長の過程で感じ取った多くの細微な事柄を、かくも余すところなく繊細に表現できたのだ。本書において、我々は余計な装飾を加えずに、極力傅榆本人の言葉を保存してきた。

また本書は傅榆の青春について書かれているのであるが、同時に民主台湾の青春時代について書かれたともいえる。この青春時代は、すでにして様々な困難を乗り越えて今日を迎えているのではあるが、それはまだ成長を続けており、未完のまま継続し、大きく翼を広げていく物語なのである。だから我々は〔台湾で発売された原書の〕表紙のデザインにおいて、過去に発生したあまりにも具体的なイメージやある特定の運動に繋がる図像を採らず、「翼」のシンボル、未来に向かって伸び広がっていくイメージを選んだのだ。

Ｂｅｉｎｇシリーズの刊行コンセプトは、歴史は一人一人から始まるということだ。物語が語られだしたとき、すぐさまそこで結末がつくわけではない。ある独特な生命の軌跡が理解されるということは、まさに水滴が大海に流れゆくように、そうした理解自体が一つの新しい可能性であり、一対の翼が未来に向かっていくことを意味しているのだ。

自序

傅楡

この本の世に出ることになったきっかけが、二〇一八年の金馬奨受賞だったことは明らかだ。それはわたしの青春の終わりごろに起こったまったく予想外の出来事で、これによってわたしの人生はすっかり変わってしまった。

一般的に言って、青春期とはおよそ十数歳から二十数歳までの時期を指している。しかしわたし個人から見ると、本当の青春期はどうやらわたしの二六歳のとき、台湾政治を扱った初めてのドキュメンタリー映画『鏡よ、鏡〔原題・大家一起照鏡子〕』[1]完成後の二〇〇八年に、ゆっくりと始まっていったようだ。もしも青春が、啓蒙、探索、衝動、挫折を経験して、しかるのちに成長していくものだとすれば、わたしの青春はたぶんこの二〇〇八年から二〇一八年までずっと続いており、『私たちの青春、台湾』が完成し、金馬奨を受賞したときになって、はじめてわたしは、

1 **『鏡よ、鏡』** 原題『大家一起照鏡子』、英題『Mirror!』。原題は、「みんなで一緒に鏡に映ってみよう」という意で、鏡を見るように自分の政治的傾向を見てみよう、ということである。

自分が本当に成長して、人生の次のステップに進んでいくべきなのだと認めざるを得なくなった。
　わたしは同じ年齢の人と比べて大人になるのが遅いといつも思っていた。何をやるにしても、人より半拍遅かったから、物の道理の理解も人よりいささか遅れていた。とりわけ政治や自分のアイデンティティに対しては、大学二年になるまでは、世の中の動きから隔絶していたと言ってよく、台湾社会の本当の政治状況と接触したことなどなかった。少なくとも、そのときまでわたしは、政治について語るのはかなりデリケートなんだということさえ、わかっていなかった。ある日、わたしは大学の友人と政治のことで喧嘩になりそうになった。他の友人に仲裁されて引き離されたのだが、その場にいた人の中でわたし一人だけが、その諍(いさか)いの意味がわかっていないということに気づかされた。立場の異なる人間の間では政治は語らない、こんなことは誰でもよく承知している暗黙のルールだったのだ。

　だからテレビで本省だとか外省だとか言って騒いでいるときになって、わたしは初めて困惑してしまった。結局のところ、わたしって何に属する人なんだろう、と。総統選挙が青と緑[2]の二大勢力の争いの様相を強めていったときになって、わたしはやはり初めて困惑してしまった。結局のところ、青や緑っていったいどういうことなんだろう、と。そして政治に関するドキュメンタリー映画を撮るようになって、同じように初めて困惑した。どうしてこんなにたくさんのことを、わたしはまったく知らなかったんだろう、と。わたしが精神的に未成熟であったことは、自分が台湾に生まれたとは言っても、かなり特殊な家庭環境にあったことに由来するのではないかと思う。

そしてこんなに未成熟であることが、もしかしたらわたしをこんなにドキュメンタリー映画を撮ることに駆り立て、台湾政治の根っこにある原因を探らせた理由だったのかもしれない。もしもこんなにいつも人の後ろに取り残されて、いつも人を追いかけなければならないという不安定な感覚がなかったなら、こういう主題に向かって常に撮り続けていこうとする、こんなに強力なエネルギーなど生じなかっただろう。二〇〇八年から二〇一八年にかけて、台湾政治に関する四篇のドキュメンタリー映画を撮った。それらは一篇一篇独立した作品で、集約されるところなど何もないように見えるし、それぞれを繋ぐ脈絡を見出すことのできるような人もいないかもしれない。しかしわたしに言わせれば、これらの作品は、三部曲にプレリュードが付されたようなまとまったもので、わたし個人の政治的な成長を記録する略史に属するものなのだ。

しかしながら、こういう成長の記録がわたしにとってどんなに重要であっても、自分となんの関係もない代物だと思われてしまえば、誰も他人のそんなものなど見たいと思うわけがない。だからわたしには、それらをまとめてみようという意図はまったくなかった。だが幸いにも、そしてたいへんありがたいことにわたしは衛城出版社に巡りあい、そのうえ、わたしのまとまりのない口述をきれいに整理して見事な文に作ってくれた陳令洋（チェン・リンヤン）さんにも出会えた。彼らはわたしに、わたし自身が政治を探索してきたこの成長過程が、もしかしたら台湾政治史の変遷と緊密に

2 **青と緑**　台湾の政党のシンボルカラー、青は国民党、緑は民進党を表す。

結びついているかもしれないと感じさせてくれた。そしてこの過程を整理していくことの意義が、もっと多くの人々に個人史の角度から国家全体の歴史を考察する機会を提供することにあるのだとわからせてくれた。重点はわたし個人にあるのではない。本書はもしかしたら、台湾に暮らす一人ひとりに、それぞれの生命史の角度から台湾の歴史を照らし出し、自分と異なる背景で成長してきた人が、ある同じ時点においてどのようにしてそれらと直面し、乗り越えてきたかを理解するための媒体となり得るのではないだろうか。

わたしは本書にこうした機能が備わり、本書を読んでくれた人がより多くの時間をかけて、自身の直面する政治の歴程や、自身の生まれ育ったこの土地との関連を考察するようになってくれることを、心から願う。これこそ、わたしが本書に対して抱く最大の希望である。

第一章　わたしの存在感防衛戦

台湾の民主主義と一緒に大きくなった

台湾に生まれ育ったわたしたちの青春時代とはどんなものだろう。

わたしは一九八二年に生まれた。わたしの世代の人は、成長の時期がちょうど戒厳令解除後の、台湾が一歩一歩民主化に向かう時代に当たっている。わたしの世代の人は、つまり台湾の民主主義と一緒に大きくなったと言っていい。

台湾では、日常生活のほとんどあらゆる隅々にまで、多くの政治情報が溢れている。ニュースはいつも喧(かまびす)しく、毎日多くの論点があり、対立があり、口角泡を飛ばす口論がある。権威主義体制時代にはこういうことなど起こり得なかった。でもわたしの世代の人は、権威主義体制が終結して、民主主義体制が構築されはじめたときに生まれ育ったのだ。わたしが五歳のとき、戒厳令が解除され、民主主義は幼児期を迎えた。一四歳のとき、台湾で初めての総統直接選挙があり、民主主義は未熟で青かったが、すでに独立した生命に育っていた。わたしたちの成長の過程は、ほとんどいつも政治の影響を受けてきた。台湾「民主化」のあゆみのなかで起こった歴史的な事件は、実はみなわたしたちの成長の経験のなかに溶けこんでおり、わたしたち一人ひとりの生命史の一部分となっているのだ。

それでは、民主主義と一緒に育ってきたということは、結局どういう感覚なんだろう。これは一本の順調な道ではけっしてなかった。青春には理想があるはずだ。でも、もしかしたら、理想のなかには傷ついてしまうことも隠されているのだと、あのころは誰も考えていなかったのかもしれない。アイデンティティをわたしたちは探し求めていたが、なんどもの内省を繰りかえすうちに、アイデンティティのなかにも排斥し排斥されるものが隠されていることに、ようやく気がついた。この道を、わたしたちは今も歩んでいる。

そしてわたしの物語は、ただ単に、多くの物語のなかの一つに過ぎない。

台湾は破滅しようとしている

「全国の同胞のみなさん、台湾は破滅しようとしています！　民進党のファッショ的やり方によって破滅しようとしているんです！　李登輝(リー・ドンフィ)国民党の西太后・義和団的なやり方で破滅しようとしているんです！」——一九九四年に台湾は初めての省長と直轄市市長の選挙を迎えた。わたしの住んでいた台北市では、市長に国民党の黄大洲(ホアン・ダージョウ)[1]、民進党の陳水扁(チェン・シュイビエン)、そして新党の趙少康(ジャオ・シャオカン)[2]が立候補し、三強鼎立の局面になっていた。当時、趙少康は策略をめぐらし、この直轄市長選を「中華民国防衛戦」のレベルに持ちあげて、演説会ではこういうふうに声高に叫んでいたのだ。このときの市長選では最後には陳水扁が勝利し、台北最初の民間選出市長となった。

同時に、省長選挙の方では、わたしの父がそのころもっとも好んでいた政治家宋楚瑜（ソン・チューユー）[3]が国民党を代表し、民進党党籍のある陳定南（チェン・ディンナン）[4]を撃破して、台湾最初の（そして唯一の）民間選出省長となった。

二十年後の二〇一四年、台湾は破滅していなかったけれど、三・一八ひまわり運動[5]が起こって、政府が乱暴なやり方で中国と海峡両岸サービス貿易協定[6]に調印したことに抗議し、学生の集団が憤激して立法院を占拠した。このときにはわたしはすでにドキュメンタリー映画の制作者となっており、学生運動のメンバー蔡博芸（ツァイ・ボーイー）と陳為廷（チェン・ウェイティン）の起伏激しい人生をビデオカメラで記録し続けていた。同じくその二〇一四年にわたしの大学時代の憧れだった郭力昕（グオ・リーシン）[7]先生が、わたしの以前制作したドキュメンタリー映画『青と緑の対話実験室［原題・藍緑対話実験室］』のために映画評「傾聴と対話――若い世代が再び開く民主教育」を書いてくれた。その冒頭は二十年

1 **黄大洲** 一九三六年生まれ。国民党の著名な政治家。台湾政府秘書長、台北市長代理などを歴任。

2 **趙少康** 一九五〇年生まれ。国民党の少壮派と称された政治家だったが、一九九三年離党して「新党」を結成。メディアで華々しく活躍した。

3 **宋楚瑜** 一九四二年生まれ。親民党主席。台湾省政府主席、台湾省長を歴任。かつて五度にわたって総統選に出馬したがいずれも落選。現在蔡英文政権に協力的な立場。

4 **陳定南** 一九四三〜二〇〇六年。非国民党系のリベラル派の政治家。宜蘭県長、立法委員、台湾法務部長を歴任。

5 **三・一八ひまわり運動** 「海峡両岸サービス貿易協定」に反対する学生市民の抗議運動。二〇一四年三月一八日から同年四月一〇日まで立法院を占拠した。

6 **海峡両岸サービス貿易協定** 原語では「海峡両岸服務貿易協定」。台湾と中国が二〇一〇年に締結した「経済協力枠組み協定」に基づき、馬英九政権が進めた中国に対する台湾マーケットの開放と貿易自由化に関する協定。二〇一三年に調印はされたものの、二〇一四年の三・一八ひまわり運動の結果、発効には至っていない。

7 **郭力昕** 現在、国立政治大学教授。

前のあの台北市長選挙のことで、趙少康が掲げた「中華民国防衛戦」を捉えて、それが台湾二十年来の「青と緑」、および「統一・独立」問題と省籍の矛盾の救いがたい対立の始まりだったとみなしていたのだ。

二十年前のことを思い起こしてみると、小学校に入ったばかりのわたしは、あの選挙戦のなかで一体どんな政治的攻防が起こっていたのかなど、当然ながらわかっていなかった。そういうことよりわたしにとっては、転校してから生まれて初めて直面した、みんなから仲間はずれにされる窮状の苦悩の方が大きかった。しかしまったく予想もできなかったのは、その拭い去ることのできない仲間はずれ、排斥の経験と、台湾でますます混迷の度合いを深めていた省籍問題、統一・独立問題、青と緑の問題が、二十年の時を経てゆっくりと繋がりはじめ、わたしの生命のなかのもっとも重要なテーマになったということだった。

わたしは傅楡（フー・ユー）、台湾人だけれど、父と母は前から台湾人だったわけではない。父はマレーシア華僑で、大学生のときにはじめて台湾に渡ってきて、母はインドネシア華僑で、九歳のときに台湾に来たのだった。わたし自身は、大学生になる前、自分は「外省人」だと思っていたのだが、こうしたカテゴリーの意味するものについて何もわかっていなかった。あのころ天真爛漫に「本省人」というのは閩南人（びんなん）のことだと思いこんでいて、自分が台湾語をうまく話せなかったから外省人ということになるわけだと考えていた。こんな間違った立ち位置に自分を置いてしまっていたから、「台湾」という語にいつもある種の隔たりを感じていて、また「本省人」の主張する正義についてもどこか受け入れがたい嫌悪を抱いていた。しかし政治的アイデンティティと関連するドキュメンタリー映画を撮るようになって、しだいに「台湾人」を自称することにもはやどんな疑念も持たなくなっていった。こういうふうに考え方が変わってきた一番の原因は、台湾政治のドキュメンタリー映画を一篇一篇撮っていくうちに、台湾で過去に起こった出来事、とりわけ白色テロの時代の歴史について、わたしがはっきり認識する機会を持てたことにあるのだろう。あのころの歴史についての理解が増えれば増えるほど、「省籍」が引きずってきた情緒だけでいともたやすくアイデンティティを云々するようなことは、わたし自身ますますしないようになっていた。

今のわたしは、台湾人だというアイデンティティを持っていて、台湾がいつの日か主権の完全に独立した国家（その名称が何になろうとも）になることを夢見ている。わたしはこういう夢が無から有に変わっていく過程を整理しようと試みたことがあったのだけれど、その始まりの時点をいつも捉えられないでいた。もしかしたら、それはわたしの幼年のころから話してみればいいのかもしれない。

スーパービッグウーマンと屋敷しもべ妖精

わたしにはっきりした記憶が生まれたときには、我が家はもう天母の中山北路七段に暮らしていた。それより以前は、父が文化大学で教えていて陽明山宿舎に住んでいたことがあったのだけれど、わたしには微かな印象しかなく、曖昧模糊としている。しかしなんと言っても、台北こそわたしが生まれたところなのだ。この点でわたしは父母と違っている。父母は台湾に渡ってきてから、それぞれいろいろな場所に移り住んできた。特に母は、台湾移住の年月がわりと長く、最初のころには東南ソーダ工場に就職していた外祖父に連れられて宜蘭の羅東に住んでいたことがあり、その後台北の信義路に越して来て、信義路がまだ辺鄙な郊外だった時代を見てきている。

　母には正式な職業がなかったから、個人で英語の補習塾を開いていた。母が大学で専攻したのは師範大学の家政学部だったが、父の海外留学に同伴して、イギリスでたいへん長い年月暮らしていた。イギリスで暮らしていたころ、タイプライターと翻訳の請負い仕事をしていたことがあったからか、母は実務経験と英文作成の実力を蓄えていた。そして台北に居を定めるようになって、母は英語補習塾を経営できそうだと考えたのだ。こういうことからも母の何にでも勇敢に立ち向かう、実行力に富んだ性格がよくわかるはずだ。この補習塾は最初は規模が小さく、我が家の部屋の一間を教室に当てればそれで済む程度のものだったのだけれど、その後予想に反して次第に大きくなり、最後には外に教室用の部屋を借りるほどまで母の塾経営が拡大していった。わたしが小学校三、四年生のころには、母の補習塾の授業に一緒に出るようになっていた。同じ授業を何回も聴くことになって、内容が頭のなかで煮詰まってしまうほどになると、母はわたしを小さな教師として使いはじめ、生徒たちが単語を暗記するのを手伝ったりした。それからというもの、わたしはずっと補習塾のクラスを担当するようになったのだが、母はどうやらわたしに補習塾を引き継がせたかったようだ。だがはっきりと、まったく興味がないと断った。こういう英語補習塾の経緯があったからかもしれないが、大学の学部を決めるときに、外国語系の学部をぜんぜん考えなかった。今思えば、これは母に対する一種の反逆だったのだろう。

あのころ、わたしは母となんら衝突などなかったのだけれど、多くのことですでに価値観があまり一致しないことが見えはじめていた。

ジェンダーステレオタイプから言うとまったく正反対で、母は家では京劇の「黒瞼(ヘイリエン)[8]」的なわりとお堅い正義派、いささかガチガチのタイプだった。たとえば、母は漫画をよくないものだと決めつけて、わたしたちに絶対漫画を読ませなかった。わたしと妹は漫画を買ったら必ずどこかに隠さなければならなくて、たいがいは母に見つからないように、補習塾のロッカーの中に隠しておいたものだ。それからまた母はわたしたちに下校後まっすぐ帰宅するよう言いつけており、かなり長い間、わたしはまっすぐ家に帰らないことに対し、罪悪感を抱くようになっていた。あるとき学校からの帰り、アイスクリーム屋に寄り道して、家に帰ってから嘘をつかねばならなくなったことがあった。どんな嘘をついたかは忘れてしまったけれど、あとでアイスクリームを食べたことがバレて、もちろんやっぱりお仕置きをされてしまった。こういうふうな明らかにどうでもいいようなことでも、結局はこっそり隠れてやらなければならなかった。

父と母の性格が完全に違っていたことは、車の運転の仕方によく現れていた。父の運転はゆっ

8　**黒瞼**　京劇における凶暴な人物、豪快な人物の役回り。その隈取りのことも指す。

くりだったけれど、とても穏やかだった。母は吹っ飛ばすのが好きで、走っている車の間を縫うようにして、急加速や急ブレーキを繰り返した。だからわたしは母の運転する車にあまり乗りたくはなかった。しかし母の運転技術はもしかしたら本当にかなり凄かったのかもしれない。母はいつもわたしたちに、昔母と父が一緒に自動車教習所に通っていたころ、教官はいつだって母の技術の方を褒めていたものだと、自慢していた。路上で何か問題が起こると、母は必ず猛烈にクラクションを鳴らした。それでも相手が引き下がらなければ、車を降りて口論までするのだった。わたしたちはそういうときいつも固唾を飲んで見守り、万一相手がチンピラだったらどうするんだろうと思っていた。しかし母は、本当に、そういうことをまったく恐れなかったのだ。

ただ、母はこんなふうにスーパービッグウーマンだったが、けっしてフェミニストではなかった。彼女はいつもわたしに、ニコール・キッドマン主演の映画『ステップフォード・ワイフ』を連想させる。映画のなかの男たちは常に完璧な美しい女性を妻としたいと願っているのだけれども、その完璧で美しい女たちは実はみんなロボットだったから、そういうふうにパーフェクトに作りあげられることができたのだった。深く考えさせられるのはそのラストシーン、パーフェクトな妻を設計したのは実は女性だったということだ。

わたしの母のような性格の母親たちの多くは、自分は家のなかで強権を揮っているにもかかわらず、男女平等に必ずしも賛同はしていないのだ。強権を握りえた個性は、「完璧な美しさ」を他人に、とりわけ他の女性に求めていき、一人ひとりが彼女自身の「演ずべき」役割をちゃんと演じているかどうか、細かくチェックしていく。これだって一種の生活のなかの権力関係なのだ。

この種の権力関係は政治における権力よりも隠微だ。人々はそのなかで呼吸することに慣れ、そのロジックに従って行動しているのに、それをまったく知覚していない。あの映画のなかで「完璧な美しい妻」のイメージと制度を維持したいといちばん願っていたのは、こういう権力関係に服従している女性自身だったことと、ちょうど同じなのだ。わたしはこれは台湾の多くの母親たちの肖像だと思っている。

母は九歳までインドネシアで暮らしていた。彼女を育てたのは母の祖母で、家にはインドネシア人の家政婦がいた。こうした幼年の環境のせいか、母の目には、華人がインドネシア人とは先天的に異なっているように映っていて、華人である自分の身分に高慢なプライドを持ち自分の地位はインドネシア人より高いばかりでなく、彼女と身分の異なるどんな人よりも自分が高い地位にあると思っていた。母の自我意識はとても強く、自分と違う意見に向かい合うときには、いつだって自分が正しいと考えるのだった。わたしは母がこういう個性を持つにいたった原因は、彼女の幼年時の成長環境にかかわっていると思う。

対照的に、わたしの父は『ハリー・ポッター』の「屋敷しもべ妖精ドビー」にとてもよく似ていて、家事をなんでも喜んでこなしていたし、わたしたちが楽しそうにしていれば、それで父もとても満足だった。父はいつも黙々と家庭の清潔と秩序を守っていて、もちろん時には怒ることだってあったのだけれど、家族のためにやはり黙々と堪えて怒りを呑みこんでしまうのだった。

その後、母は補習塾を閉じた。そのころは母はかなり落ち込んでいて、何かよりどころとなるものを求めていたのか、急にプロテスタント系のキリスト教に対して異常なほど敬虔な信仰を持つようになっていった。しかし母の敬虔な信仰というのは、教会の活動に熱心に参加するとか、聖書の価値を堅守するとかいう類のものではなかった。母は教会に行かないことさえあったのだけれど、我が家のテレビのチャンネルは「Ｇｏｏｄ ＴＶ」[9]に合わせたまま、一日中キリスト教の放送を流させていた。母は私たちも一緒にキリスト教を信じるようにさせたかったのだが、わたしたちは嫌だった。わたし個人は宗教に対して偏見とかは持っていないのだけれど、自分が信仰を持っているからと言って、他人にも信仰を強要するような態度には反感を抱いていた。しかも、母の信仰のやり方には排他性がけっこう強く、わたしは密かに、そういう母の振る舞いは良くないと感じていた。

塾のこと以外でも、そのころ我が家の家計は相当困難な状態になっていた。それで母は、お祈りのときに、自分の買った株が大幅に値上がりして、大儲けできるようにと神に祈っていた。こういうこともわたしに、信仰とはこの手のことの追求で済ませていいのだろうかと疑わせた。

我が家の経済的な困窮を解決するために、わたしと妹は母に、一緒に教会に通うからと言って、その代償に家を売って焦眉の急を救うべきだと説得した。母は本当にそうした。ところがその後になって家屋の価格がいきなり跳ね上がっていったので、母はわたしたちをとても恨んだ。わたしたちも母との約束を守り、母についてしばらく教会に通った。わたしが結婚して実家を離れるのを機に、ようやく約束は解消された。わたしは教会がよくないと言っているのではないし、牧師のなかには面白い説教をする人もいることは確かだ。けれども、結局のところ、自分で考えて行きたいと思っていたわけではなく、他の人の信仰に対してもあまり尊重していたとは言えない。

母は思っていることをなんでも話す、まっすぐな人で、わたしたちに対しても言いたいことがあれば胸に仕舞いこむようなことはしないようにと望んでいた。ときには、母が挑発しているのかとさえ思い、なんとか丸くことを収めようとしても、そうすればするほど、こちらがタジタジとなるほど勢いこんでくる。母は現在の政治情勢にあまり満足ではなく、蔡英文（ツァイ・インウェン）や柯文哲（コー・ウェンジョー）[10]が何を考えているのかわからないと言って、しょっちゅうわたしに向かって彼らへの文句をぶつけてきた。わたしだって柯文哲のことなんか好きじゃないわ、なんでお母さんはそんなことをいつもわたしに言ってくるの、とやり返した。ところが母は、わたしはあなたに言っているわけじゃない、独りで喋っているだけ、それでもダメなの、と応じて譲らない。

かりに母への見方を生物観察の視点に変えてみれば、彼女は確かに興味深い人だ。母は思ったことをすぐに口に出さないと嫌なのだと、わたしはますますよくわかってきた。母の個性を理解すればするほど、わたしは腹を立てなくなり、感情的にもならなくなって、やがて母の際限ないぶつぶつを聞いているうちに一種の悟りを開けるようになった。

別な角度から考えてみると、母はわたしたちの家に真っ正直な気風をもたらしたとも言える。母の方も、わたしたちの考え方が自分と違っていることを知っていた。逆もまた真なり、だ。だから家のなかでは、わたしたちは自由に意見や見方を表現できる空間にいられたのだ。

9 **Good TV** 台湾のキリスト教テレビ局。

10 **柯文哲** 一九五九年生まれ。外科医師で政界に登場した人気のある政治家。現在二期目の台北市長。柯Pとも呼ばれる。

消せない「二十九番」

一九九三年、小学校の四年生から五年生になるときに、わたしは天母国民小学校から近くの三玉国民小学校に転校した。三玉国民小学校は新設で、天母国民小学校と蘭雅国民小学校の生徒で三玉国民小学校の近くに住んでいたら、必ずこちらに転校しなければならなかった。だから、そこには二、三校の生徒が集められることになった。

転校する前、わたしはいつも天母付近の公園で遊んでいたのだけれど、そこで後日わたしを仲間はずれにする動きの先頭に立つことになる女子と出会った。その子は子供たちのボスで、男子にとてもモテて、誰ともすぐ仲良くなり、わたしも最初はその子とよく遊んでいた。だんだんとその子の周りに一種の勢力のようなものができていき、排他的な小さなグループとなった。わたしもはじめのころはそのグループの一員だった。

しかし程なくして、クラスの隅の方にいた女子が仲間はずれにされるようになった——それが仲間はずれと言えるのかどうかは定かではない、時間がずいぶん経っていて記憶が薄れてしまったということもあるが、その女子はグループの子たちから馬鹿にされていた。その子の成績は悪くなかったのだけれど、わたしたちと一緒に遊ぶことはあまりなかった。彼女の動きにはちょっとした癖があり、ボスの女子は率先してその動作を真似て、彼女を嘲笑（あざわら）った。わたしはそのころ何もわかってなく、みんなが笑うとつられて笑い、罪悪感など少しも感じなかった。

しかし五年生になったとき、わたしもみんなから馬鹿にされる側になってしまった。彼女たちはわたしの前でわざと台湾語で話した。わたしにはよくわからない言葉だったから。でもわたしは彼女らがわたしのことを言っているのはよくわかった。わたしの座席は二十九番で、台湾語の「二十九番」の発音は聴き取れていたのだ。わたしは台湾語がわからないからといって、あの子たちがわたしを仲間はずれにしたとは思わない。そうではなく、彼女らはわたしを排斥し、孤立させたいがために、わざと会話を台湾語に変えたのだ。この昔の出来事がわたしの致命傷となっていき、人から原因不明の理由でこそこそ批判されていると感じるようなとき、かつてのこの記憶がわたしに襲いかかり、心の奥底に蟠るコンプレックスを摘み上げてくる。こういう記憶が蘇るたびに、わたしはいつも長い時間どうしても落ち着きを取り戻せなくなる。

わたしもかつて人を嘲笑うグループの一員だったから、立場が変わって自分が嘲笑される者になったとき、どういうふうに向かい合えばいいのかわからなくなり、自分が仲間はずれにされたと、誰かに打ち明けることもできなかった。あのころのわたしは、なんでもないように振る舞わないといけない、自分がやはりグループの一員でみんなと一緒なのだというふうに装わないといけない、と思っていた。グループ以外の生徒たちはわたしと彼女らとの関係に変化が生じたなど気づいていなくて、わたしがやっぱりそのグループのメンバーだと見ていた。わたしだけが自分の状況をわかっていて、心のなかで黙々と考えを巡らしていた。もしも前に仲間はずれにされていたあの子が、ちょっとした癖のために真似されたり笑われたりしたのだったら、わたしだってそういう小さな癖のせいで嫌われたのかもしれない。唇を噛むとか、指の爪を噛むとかいう、ああいう類の癖のせい？　もしかしたら、あのころわたしはシャンプーするのが好きじゃなかったから、髪の毛がベタついていたのかも？　わたしは自分のことを疑りはじめて、自身のなかから仲間外れになる理由を見つけようとした。今思いかえしてみると、それは排斥されて当然の理由を自分自身に見出そうとする、どこかねじ曲がった心理だったようだ。しかしあの当時は、わたしを嘲笑する人たちはそれまでずっと誰からも好かれる人たちであって、そういう彼女たちになんら問題があるはずはないとしか考えられなかったのだ。問題があるとすればそれは間違いなく自分であり、彼女たちであるはずはない。

あの時期に、彼女たちはもっと他の人も排斥していたに違いない。けれどもあのころのわたしは、かりにそういうことを知っていたとしても、仲間外れになった子のためにものを言うような振る舞いはしなかった。理屈からすれば、わたしたちは同じように嘲笑われ、仲間はずれにされていたのだから、同じ立場に立つべきだった。しかしわたしの自尊心は強く、わたしがもはやあのグループに属していないということを誰にも知られたくなかったのだ。

こういうふうにしているうちに、ついに人生でもっとも辛い修学旅行を迎えた。普段のクラスなら一緒にいてくれる仲間なしでもどうにでもなるけれど、修学旅行では必ず班に分かれて、寝るときも同じベッドで休まなければならない。わたしは仲間外れにされてはいたが、どうしてもあの人たちと一緒の部屋になりたくて、無理やりその班に入れてもらった。今思い出しても、それはあまりにも悲しい話で、数名の子供が同時に休めるようなベッドで、誰ひとりわたしと同じベッドになろうとはしなかった。

状況はこうした感じで、小学校卒業まで続いた。わたしはこういう記憶を抱いて学校を離れたのだ。その後新しい環境に変わるたびに、友達を作れないのではないかととても恐れた。「排斥されるのを避け、認めてくれる帰属グループを見つけること」、これがわたしの人生の最も重要なテーマとなった。

その後、二〇一八年にわたしは公共テレビ局と国家電影中心〔国影センター／Taiwan Film Institute〕との共同企画「台湾の歳月」に参加し、国影センターの所蔵する資料映像を使って二四分間のドキュメンタリー短編映画『消失しえない台湾省〔原題・不曾消失的台灣省〕』[11]を制作した。わたしはそのなかに宋楚瑜が省長だったときの政府の政策宣伝映像や台湾語の古い映画などのショットを挟みこんだ。そして省籍の角度からわたしの幼時の経験を回想し、自分がこの数年の間、政治的アイデンティティに関するドキュメンタリーを撮ってきた動機を振りかえってみた。この作品のプロデューサー洪廷儀（ホン・ティンイー）とあのころのことを語り合っていたとき、彼女は、客観的な角度から分析すれば小学校五、六年生というのはちょうど月経の始まる成長期で、自分の身体がどうなったのかよくわからないから、敏感になり自分を卑下したくなりがちだと思う、と言った。わたしは、身体の発育は早かったから、異性にどう見られるかを気にしていた。そういうときに排斥されたことで、より深い傷を残したのだろう。

11 **『消失しえない台湾省』** 詳細は第二章末の「青春・政治三部作 序曲――『消失しえない台湾省』」を参照。

別な視点から言えば、彼女はわたしの幼年時代の経験と感情が、同時代的に、多くの外省人の抱いた感覚によく似ていて重なるところもあるように思うと言っていた。国民党がガッチリ権力を握っていた時代から、台湾地元勢力の勃興に直面せざるを得なくなる状況に移っていった時期に、外省人の経験してきた存在の危機と安全喪失の感覚によく似ているということだ。

洪廷儀の分析は、ちょっと聞くと、どこか後出しのようにも思えるが、まったく道理がないとは言えない。前にも述べたように、わたしは台湾語が話せなくて仲間はずれにされたわけではなく、排斥しようとする人たちの目で見れば、わたしが台湾語を話せないということこそが事実だったのだ。この事実があの人たちに一種の手段を与え、わたしの前ではわたしが聞き取れない台湾語を使ってわたしのことを嘲笑うことになった。そしてこの聞き取れない、笑われる、という経験がわたしのなかに確かに恐怖の感覚を作りあげていった。それはちょうど一九九〇年代の初めのことだ。同じような状況が外省人グループに属していた人たちに、広く起こっていたのではないだろうか。

わたしは自分がもっと幼いころのことも覚えている。小学校一、二年生のことだったか、わたしは先生のお気に入りで、成績のいい生徒だった。そのころはよく先生に褒められていた。先生が言うには、わたしは書道が特によく、他校とのコンテストに参加させもした。わたし自身はそんなに上手だとは思っていなかったのだが。三、四年生の状況もだいたい同じで、クラスの人気者だった。五、六年生になって転校してから、突然新しいクラスで仲間はずれにされるようになってしまったのだ。わたしは適応もできず、人に相談することもできなかった。それはわたしがかつて、誰からも好かれていたことがあり、骨の芯までプライドが染みついていたからだ。

こう考えてくると、厳格に言えばわたしは外省人ではなく、ただ単に「非本省人」の家庭出身だというだけのことだったのだけれど、わたしの成長過程はあるいは、外省人グループと同じような栄光と転落を経験してきたのかもしれない。一九九〇年代の初め、わたしが学校で排斥されて自己卑下に陥り、わたしを嘲笑う人の台湾語が聞き取れないでいたとき、それはちょうど、趙少康が「台湾は滅亡する」と声高に叫んで「中華民国防衛戦」のスローガンを掲げていたときだったのだ。

そのころ「政治」はわたしにとって、やはりまったくわからない世界だった。わたしは政治が自分の人生とかかわりあいをもつようになるとは、ぜんぜん思ってもいなかった。

わたしの存在感防衛戦

一九九〇年代、台湾はエスニックグループの権力関係が変容する歴史を歩んでいた。そしてわたしは、卑下と自尊心が交錯する少女時代を歩んでいた。そのころの経験は、どうやらわたしの性格にとても大きな影響を与えたようだ。

最も大きな影響というのは、あるいはわたしの、人に馬鹿にされることを極端に嫌う性格にあるのかもしれない。こういう感覚はいやだと思っていても、わたしはしょっちゅうそれを感じていた。わたしを他の人がどう見ているかということとわたし自身が思っていることの間には、認識上に落差があった。わたしは明らかに、多くの事柄について考えを持っていたし、それを口に出したいとも思っていたけれど、自分が人にかなり軽く見られがちだということも感じていた。こういう自他の認識の差異は、学校にいる間は影響がそれほど明確ではなかったが、社会に出たあとは四六時中噴き出てきて、日常生活の常態となっていた。わたしは女子であり、外見上オーラも強くなかったから、よく人から何歳だかわからないと言われた。これは職業的にはまったくメリットではなかった。わたしが撮影現場に出向くと、よくこう訊かれた。「監督はどちらに？」と。わたしですと答えると、相手はすぐにこう言うのだ。「監督はこんなにお若いのですか？」、その眼差しにはわたしへの不信感がありありと窺えた。

わたしは集団のなかにいても存在感のある人間ではなく、アシスタントのときも助監督のときも、多くの人はわたしを気にもかけていなかった。それはわたしが会った瞬間に印象を残すような人ではないからだ。これでいいんだと思ってはいたが、ときには、がっかりしたり辛い思いをしたりもして、自分でも矛盾していると思った。わたしはあからさまに存在感を示したり、自分のイメージを操作したりしようとは思わない。それはもしかしたら、根っからプライドが高く、そんなことをする必要などないと思っているからかもしれない。しかし、わたしの外見とか、その人たちの個人的偏見によって、わたしに安易な価値判断をし、見下すような人たちに対しては、やはり絶対に自分の存在を証明してわからせてやりたい、あなたたちは間違っているわ、と。

こういう気持ちは、人生のあらゆる段階において、いつもわたしの心に浮かんできた。わたしの作品が一定の肯定的評価を得た現在であっても、作品を否定する映画評にはこだわってしまいがちだ。とりわけ、評論のなかにわたしに対する誤解を見つけたときは、まったく我慢できない。わたしが心配するのは、誤解がどんどん広がっていくと、いつの間にか影響を受けてしまう人がますます多くなり、その波の中に本当のわたしが呑みこまれて、存在しなくなってしまうのではないかということだ。あのわたしを誤解し否定する人たちを見ていると、いつだって自信に満ち、自分の主張したことにまったく疑いを持っていないように思える。そのうちにみんなわたしへの誤解ばかりに耳を傾け、わたしの本当の考えなど気にも留めなくなってしまうのではないだろうか。

こういうとき、たぶん被害妄想症のわたしが、自分の心のなかに防衛のメカニズムを作りあげる。そして推測を始めるのだ。先方はなぜわたしに敵意を膨らましているのだろう。するとわたしは意識下で可能性を導きだす。それはわたしがあの人たちのグループに属していないからだ。それから心のなかでひそかに願う、将来いつの日か、わたしが受け入れられますように、と。

もしかしたら、わたしのあらゆる努力は、こういう誤解されたくない、排斥されたくない、そして自分の単純な存在感を取り戻したいという心情によって、かきたてられたのかもしれない。

もしかしたら、みんなわたしと同じように思っているのかもしれない。「台湾」も国際的にはやはり同じだ、わたしたちみんな同じ願いを抱いているのだ。

第二章　テレビがわたしたちの人生を設計した

わたしは正義を振りかざすタイプではない

小学校時代のあの仲間はずれにされた経験があったから、国民中学に入ると、友達になりそうな人に会うたびに、わたしはなんとかしてお互いの共通の趣味を見つけだし、必死に仲間になろうとした。そのころはもう自分で悪いと思っていた習慣を改め、唇や爪を嚙むとかいうこともしないようになっていて、本当に友達を作る準備は万端整っていた。わたしはかつて仲間はずれにされた原因は、ああいう悪い習慣のせいだと自分で思いこんでいた。こうした心の状態が及ぼした影響はとても深く、わたしは相変わらず、いつも自分の振る舞いのなかに人に嫌がられるようなことはないか、点検していたのだ。

わたしの国民中学のときの親友は四人でグループになっていた。ちょっと特別だったのは、そのうちの一人が小学校の同級生だったことだ。わたしの印象では、彼女も他の子と一緒になってわたしを排斥していたように思う。少なくとも当時わたしに救いの手を差し出してはくれなかったはずだ。しかし中学校に入ると思いがけなくも、友だちに変わってしまった。それもたいへん仲の良い友だちに。小学校のときに排斥されたことはわたしの心理に傷を残していたから、わたしは彼女に、どうしてあのころあんなふうにわたしを扱ってきたのか、訊く勇気はなかった。訊いてしまったら、今のこの貴重な友情を壊してしまうかもしれないと恐れたのだ。

仲間はずれ、排斥はところを選ばないし、理由などありはしない、ちょうど「なんでもバスケット」のようで、誰かが必ず鬼になる。中学生のときに、わたしは「鬼」ではなかったが、クラスの一人の女子が男子たちに仲間はずれにされるのを、目をしっかり開けて見つめていた。わたしは仲間はずれする側にはならなかったが、正義を振りかざそうとも思わなかった。わたしは自分が意気地のない人間で、正義のために戦う人間などではさらさらないと思う。わたしが印象深かったことは、その排斥された女子生徒は布袋戯（ブーダイシー）[1]が好きだったということだ——彼女は布袋戯好きだということで排斥されたのだろうか、わたしにははっきり言えない。しかしわたしの記憶では彼女の排斥と布袋戯好きが繋がっている。それはわたしもあのころ布袋戯にいささか偏見を持っていたからかもしれない。

高校生のとき、大小S[2]がMCをしていたテレビのバラエティ番組「娯楽百パーセント」がたいへん人気だった。わたしは妹の小Sがお気に入りで、彼女の言うことを面白いと思っていた。あるとき、彼女たちは番組で布袋戯を嘲笑したことがあった。布袋戯なんてどこがいいのかしら、と。彼女たちは布袋戯を毛嫌いしていて、映画館に行って布袋戯を観る連中は頭がおかしいとかなんとか言っていた。わたしも追従して、布袋戯を観るのはおかしなことなのだと思っていた。大小Sの発言は当時大きな波紋を呼び、「霹靂布袋戯（ピーリーブーダイシー）」[3]のファンたちがこの姉妹に対してボイコット運動を始めるにいたった。大小Sはあるいは考えもしなかったかもしれないが、あのころ布袋戯好きの若者は相当いて、みんなちゃんと現実社会に生きており、映画館に行って布袋戯を観たいと思っていたのだ。

振り返ってみると、もちろん今では布袋戯が変だなどとは思っていないし、小Sが面白いとも感じなくなっている。彼女が当時話していたことは、思い込みによる偏見の類で、大衆相手のメディアであんなふうに話してしまうのは、テレビの電波を通して大衆に大きな影響を与える結果となり、実は本当によくないことだったのだ。しかしわたしは彼女を妖魔のように見なしているわけでもない。後にわたしがドキュメンタリー映画を撮りはじめて、いろいろと自己省察を進めていくうちに、彼女があんなふうに思い込んでしまったのは、やはりあの人なりの環境があったからだろうと意識するようになった。彼女の環境では、受け取りうる情報というのはそれなりの内容で、自分たちの圏内のスタンダードでもって、自らを「メインストリーム」、「ノーマル」と思い込み、圏外に置かれた自分と異なる人たちも同じように、その存在を尊重されなければならないことや、自分の話す言葉のなかにすでに他人に対する蔑視が含まれていることについて、彼女自身が内省するすべなどまったく持ちえなかったのだろう。わたしたちは往々にして自分の持つ偏見に気づかないが、それは地位や生活環境、経歴などと関係することだ。わたしは国民中学

1　**布袋戯**　ほていぎ。台湾民間芸能の一つ、布袋木偶戲。手遣り式の伝統的な人形芝居、人形浄瑠璃に似た手法で、街頭などで演じられてきたが、現在は大劇場公演もある。

2　**大小S**　台湾の芸人、徐姉妹、ASOS。

3　**霹靂布袋戯**　伝統的な布袋戯にSFXなどの斬新な技法を取り入れた派手な演出の布袋戯。一九八〇年代からテレビ放映され、映画館での公開も人気を呼んだ。

のときのあの布袋戯が好きだった女子も、こうした偏見の被害者だったのではないかと思う。

偏見はいつも透明で、無形だ。わたしが排斥されたとき、どんな価値観、どんな社会的偏見がわたしの友だちの背後に作用し、わたしを嘲笑される側に押しださせたのか、わたしには見えなかった。あの布袋戯好きの女子も同じで、いったい誰が、どんな権利があって、そしてどんなスタンダードを用いて、その子が排斥されなければならないと決めたのだろうか。当事者もそのわけを説明できないのがふつうだ。わたしはさまざまな方法をとおして、偏見の形状を露見させ、蔑視と排斥のもたらす傷を多くの人に理解してもらいたい。

わたしが後に『消失し得ない台湾省』を撮った理由、それは、わたし自身、あるいはあの布袋戯好きの女子、こういう人々が、帰属する階層や階級の原因で傷つけられたのだということを、意識できるようになってほしいと思ったからだ。わたしのこの世代に至ってもなお、人を傷つけることは存在し続けているのだ。

唯無哈党［唯我無敵ホラ吹き党］

テレビがわたしたちの人生を設計する。たぶん中学生のころからわたしはエンタメ系のニュースやアイドルが好きになり、スター歌手に憧れた。中学校を卒業するとき、学校では卒業記念アルバム以外に、クラスメートの間で個人のサイン帳を用意して、それぞれサインしあうのが流行(はや)った。わたしのサイン帳は親友たちが貼ってくれたアイドルの写真でいっぱいになった。しかもわたしは一人に夢中になっていたのではなく、同時にたくさんのアイドルに憧れていた。最初のころは『フライング・ダガー［九尾の狐と空飛ぶ猫］』を観てジミー・リンが好きになり、またダニエル・チャンにしばらく憧れてもいて、その後『タイタニック』でレオナルド・ディカプリオに熱をあげ、女性スターではジジ・リョンやステファニー・スンに憧れた。だからわたしの卒業アルバムにはこういうアイドルやスターがひしめいていた。思い起こしてみると、あのころの自分はまったく恥ずかしい。こういうアイドルに熱をあげる青春期はあのころで終わったと、自分では思いこんでいた。しかし、もしかしたらあのころ深い自己省察をしてみる機会が少しもなかったからかもしれないけれど、こうしたアイドルやスターへの崇拝がその後どういう方面への憧れを導きだしていったか、そしてそれに引き続いて、自分自身の抱く期待を、異なる対象のうえに繰りかえし繰りかえし照射していくことになっていったか、自分ではまったくわからなかった。

　わたしがこういう段階にあったとき、わたしの認識のなかに、政治的な人物が現れはじめた。一九九六年、台湾で史上初の総統直接選挙が行われた。それは一九八七年の戒厳令解除後、台湾の民主化運動が到達した重要なマイルストーンだった。今では総統直接選挙はすでに台湾の政治制度の一部となっていて、わたしたちはごく当たり前のことと思い、それを空気と同じように自然なものとみなして、一九九〇年代はじめの、この制度がまだ定まっていないときの日々をほとんど忘れている。あの当時、総統は間接選挙で選ぶべきか、それとも直接選挙にすべきかで、激烈な政治的闘争が繰り広げられていた。そして一九九四年七月、ついに修正憲法[4]ができあがり、人民による直接選挙とすることが確定した。わたしたちの世代は、中学時代には台湾政治が権威主義体制から民主主義体制に進もうとしていて、まだ様々なルールが立ち上げられつつあるような段階だった。そしてやはりこの時期から、政治ニュースがとても熱を帯びてきて、多くの人々の暮らしのなかで関心を惹きつけるようになってくるのだ。

　政治家も人々の関心の的になっていった。わたしは一九九六年の第一回総統選挙の政治的人物については、記憶がおぼろで、ただ李登輝（リー・ドンフィ）・連戦（リエン・ジャン）[5]のペア「李連配（リーリエン・ペイ）」とか林洋港（リン・ヤンガン）[6]・郝伯村（ハオ・ボーツン）[7]のペア「林郝配（リンハオ・ペイ）」とかいう言葉をしょっちゅう耳にしていたことしか覚えていない。強いていうなら、「林郝配」の印象のほうが深かったかもしれない。だって「您好（ニンハオ）」と発音がよく似ていたから。[8]でも一九九八年に、陳水扁（チェン・シュイビエン）と馬英九（マー・インジウ）が台北市長を争うことになったときには、わたしはそれなりの考えを持つようになっていた。

　当時わたしは美形のスターにわりと簡単に惹かれていて、その人の顔立ちで憧れのスターかどうかを決めていた。そして同じ概念を政治家に当てはめ、スターに憧れるのと同じように陳水扁を好む人がいることがまったく理解できなかった。いったいどうして、見栄えのしないスターに熱をあげる人がいるのかしら、と。

　わたしの両親も、当然のごとく、馬英九への熱烈な支持を表明していて、家では父は馬英九のことを「馬兄さん」と呼んでいた。けれども我が家ではいったいどういうわけであんなに「馬兄さん」が好かれていたのかは、わたしはそのころよくわからなかった。もしかしたらわたしの両親は、陳水扁はテレビでの態度がよくないという印象を持っていたのかもしれない。ともかくわたしは家族と同じ陣営に立ち、同じ声をあげるようになって、馬英九に対する支持を強めた。だから当時は自分がまだ投票権がないことをたいへん残念だとも思っていたのだ。

高校に進学しても、友だちが作れるかどうかが、わたしのもっとも気になることだった。そしてたいへん幸運にも、わたしは五、六人ほどの気の合う友だちに出会えた。でも本当は、そのグループはわたしとは違って、かなり外向的な個性の持ち主たちだった。そのいちばんはっきりした例が、性向がかなり『T［いわゆる「ボイ」］』的な女の子で、いつも頭を角刈りに決めていた。ある日みんなで大いに盛り上がり、「一緒に角刈りにしちゃうぞ！」と約束してしまった。わたしはまったく気乗りがしなかったのだけれど、無理やり覚悟を決めて髪を刈り上げてしまった。もちろん多くのファクターでわたしたちは同じではないのだけれど、やっぱり友人になった。わたしは彼女たちと一緒に行動するのがとても好きで、そのうちに自然な流れで小さなグループができていき、今でもお付き合いが続いている。面白いことに、わたしは後になってから気付いたけれど、わたしと彼女たちがこんなに気が合うのは、政治的アイデンティティと関わりがあるのかもしれない。わたしは当時まったく意識していなかったけれど、今思いかえしてみてハッと

4 **修正憲法** 第三次憲法修正によって施行。

5 **連戦** 一九三六年生まれ。国民党の著名な政治家。台湾副総統、行政院長、台湾省政府主席、国民党主席などを歴任。胡錦濤、習近平に近いと言われる。

6 **林洋港** 一九二七〜二〇一三年。国民党の著名な政治家。蔣経国時代の閣僚、内政部長、台北市長などを歴任。

7 **郝伯村** 一九一九〜二〇二〇年。黄埔軍官学校・陸軍大学出身の国軍の領袖、国民党の有力な政治家。行政院長、国防部長、国防部参謀総長などを歴任。

8 **発音がよく似ていたから** 「您好（こんにちは）」は、北京語では（ニンハオ）だが、南方系中国語では（リンハオ）と発音され、「林郝」と同音になる。

思った。このグループの友だちの意識形態と家庭的環境は、みんなよく似ていたのだ。

　あの時代の政治ブームの影響があったのかもしれないが、なんと「政党」はついにわたしたちの遊びのなかに進入してきた。あのころわたしたちはふざけて党を一つ立ちあげて、それに付けた党名が、本当にあまりにもばかばかしくて、でもこういうことこそ青春というのだろう。わたしはグループのもう一人の友人とビデオショップに駆けて行き、映画のタイトルを調べて参考にしたのだ。そこで拾ってきたタイトルに、唯我、無敵、ホラ吹き〔哈拉(ハーラー)〕などの単語があって、それらを全部まとめて「唯我無敵ホラ吹き党」、略称「唯無哈〔唯無ホラ〕」だ。わたしたちは党のスローガンを作った。それは山東方言で唱えなければならない。「同志たちよ！　わたしたちは祖国を取り戻すんだ！」わたしたちは党の機関誌までも作った。こういうことはみんな冗談に過ぎず、いささか風刺的な意味合いもあったのだけれど、あのころどうしてこういうスローガンを作ったのかについては、理由があった。それは、私たちのグループの一人、「同志」[9]の家庭環境と関係の深いことで、彼女は自分の父親の山東方言をいつも真似していたのだ。わたしたちだって本当に政治談議をしていたわけではなく、だいたいわたし自身、彼女たち一人ひとりの本当の政治的傾向など、グループの一人が宋楚瑜(ソン・チューユー)のファンだと言ったのを覚えている以外は、これまでまったく知りもしなかった。もしも実家が外省人グループの背景をもっていなかったら、このような党のスローガンなど出てこないはずなのだけれど、当時わたしは少しも変だとは思わなかったし、気まずい感じもまったくなかった。

　わたしの「唯無ホラ党」の仲良しのなかに二人、いつも中性的な格好をする友だちがいた。そのころわたしは彼女たちが「同志」だと意識していなくて、みんなごく自然に一緒にいた。後になって、彼女たちがカミングアウトすべきかどうか、それともわざわざ持ち出すまでもないのか、かなり真剣に話し合ったことがあったのだと聞いた。しばらく経ってから、結局わたしたちは彼女たちのことを知るようになった。そして台湾では同性結婚法案[10]が成立し、彼女たちも家庭を持てるようになった。わたしはとっても嬉しかった。今後台湾では、友人に対してカミングアウトすべきなのか、カミングアウトしても感情的な影響は受けないのか、排斥されるようなことはないのか、こういうことについてもう誰も心配しないで済むようになってほしいと、わたしは心から願う。

もう一つ、わたしの印象に深く残っていることがある。学校にとてもおしゃれな女子の先輩がいて、容姿も抜群に綺麗で、わたしはいつも密かに憧れていた。でも彼女のカバンには「扁ちゃんバッジ」が付いていて、しかも陳水扁の帽子までかぶっていた。それはわたしにとってひどく不可思議なことで、「扁ちゃん」は我が家では罵（ののし）られどおしだったからだ。当時のわたしは理解しようという気持ちがなかった。あるいはこう言うべきなのかもしれない、当時のわたしは、立場の異なる人に対して無感覚だったから、ただ困惑するだけで、それ以上深く探求してみようとは思っていなかった、と。

9 **同志** 同性愛者の意味でも用いられる。

10 **同性結婚法案** 台湾では二〇一七年に最高裁が同性婚を承認、二〇一九年に同法案を立法院が可決した。

二〇〇〇年に大学進学、政党の交代に遭遇

わたしがなぜ国立政治大学の廣電［ラジオテレビ］学科に進んだのかと訊かれたら、テレビが好きだったからといつもは答えている。でももっと詳しく分析するなら、原因は三つある。

第一の原因、確かにわたしはテレビっ子で、テレビのほかには面白いことなど何もないと思っていたようだ。家族の言うとおりに外国語学部や文学部、あるいは人文系のどこかを選択するようなことは、わたしはしなかった。後になってから思いかえしてみて残念なのは、あのころ社会学部のことがわかっていなかったことだ。もちろん、大学に入ってから社会学を取ったのだけれど、そのときは担当の先生に興味が持てず、大学院に入ってから接触が多くなってはじめて、本当に知り合うのが遅かったと後悔した。もし以前に知っていたなら、たぶん社会学部を受験していただろう。後にわたしは、社会学の大学院博士課程を受けようとも考えたけれど、専門領域が少し広過ぎて、社会学の院が他専攻の院生を受け入れ可能としたとしても、わたしは自分に自信が欠けていた。こういうことがわたしの未熟なところだ。特に感じたのは、わたしが『青と緑の対話実験室』を撮っていたときのことだ。陳為廷（チェン・ウェイティン）が清華大学の人文社会学科で学んでいたので、わたしも一緒に彼の履修している授業を聴講したことがあった。そのときわたしはショックを受けて、心のなかで思った。「あぁ、為廷は一年から四年まで段階を追ってこういう知識の訓練を受けてきたんだわ。大学院だって同じこと、きっとゆっくり積み重ねられていって、初めて

自身のなかの基礎的知識になっていくんだ。わたしには少しもないじゃないの」と。わたしもかつて必読の社会学書を求めて読んだことがあったけれど、それは本当にあまりにも多くて、ほかにやらなくてはならない仕事も忙しく、そんなにたくさんはとても読めなかった。だから大学院博士課程受験で専攻の選択に直面したとき、わたしは社会学に転専攻するか、台南芸術大学「南芸大」芸術創作理論専攻を受験するかという二つの進路を考えた。そしていろいろ考えあぐねて結局最後には、自分の元々の専攻に近いということで、南芸大を選んだ。残念ながら受からなかったが、それは後の話だ。

大学でラジオテレビ学科を選んだもう一つの理由は、とても仲のいい友だちがラジオテレビ学科を受けようとして、推薦入試で通らなかったことと関係がある。わたしの学業成績はそんなに良くなかったので、推薦には応募しなかった。でも彼女は、ずっと推薦入試の準備をしてきて、不合格になっても、今度は一般入試に備えていた。この専門はそんなにいいのかしら、わたしは好奇心に駆られた。それで真剣に考えるようになった。

それと、もう一つ別な理由、言ってしまえばいささか単純なのだけれど、陶晶瑩（タオ・ジンイン）[11]が国立政治大学傳播「コミュニケーション」学部の卒業生で、以前ラジオテレビ学科の郭力昕（グオ・リーシン）先生のことをとても褒めたことがあって、それが強い印象になっていたのだ。わたしはあのころ本当にテレ

11　**陶晶瑩**　一九六九年生まれ。歌手・俳優・司会者として知られる。

ビが好きで、陶晶瑩があんなふうに言うものだから、ラジオテレビ学科がたいへん魅力的な専攻になっていって、受験してみたいという気持ちが起こってきたのだった。

当然、この学科の求める入試の点数はとても高かった。だからわたしは盲目的に入試の意思を固めて、密かに心にこう決めた。わたしはもう受験すると決めたんだから、自分の成績を合格ラインよりずっと上まで持っていかないとダメだ、このぐらいしてはじめてこのラジオテレビ学科に合格できるんだ、と。

このことについては、わたしは相当自慢してもいいと思っている。その後の受験で、わたしの成績はかなり高かったのだ。わたしの高校二年までの成績はまったくひどいもので、多くの科目が赤点だった。でもこの学科を受験するために、全教科補習クラスにも申し込んだ。そして最後には台湾大学の外国語学科を受験できるまで成績が上がったのだけれど、やはり受験の申請書には、鼻高々にラジオテレビ学科を第一希望に書き込み、［台湾大学の］外国語学科を第二希望として、もちろん、すんなりと通ったのだった。

その年は西暦二〇〇〇年、民進党を代表して総統選に臨んだ陳水扁と呂秀蓮（リュー・シウリエン）[12]が正副総統に当選し、台湾ではじめて政権政党が交替した。その選挙のことは、わたしははっきりと記憶している。

魅入られた観衆

当時わたしには相変わらずまだ投票権がなかった。クラスではときどき、家の人が誰に投票するかの話を耳にすることがあった。そして、集団のなかでわりとリーダー的な意見を言うクラスメートが、自分は宋楚瑜を支持していると言ったことがあり、ふだんはあけすけに意見を述べることなどとてもできなかったわたしが、その人のあとに続けて言った、わたしもよ、と。そのころわたしがなぜ宋楚瑜を好きだったのかは、両親の政党の傾向と絶対に関係している。

わたしの印象を辿っていくと、我が家のテレビはほとんどいつもニュース番組になっていて、それも必ず「TVBS」か「中天テレビ」、どちらもかなり「青傾向」と思われているテレビ局のものだった。毎日そういうテレビを見慣れていくうちに、わたしはきわめて自然にニュースの立場を受け入れていった。両親とも東南アジアから台湾に渡ってきた華僑だ。母は小学校のときにはすでに台湾にいたから、もちろん受けた教育は国民党執政下の価値観によるものだった。父はマレーシアの華僑中学で学んでいて、使った教科書や教えられた価値観はかなり当時の台湾に近かったはずだ。当時の彼らからすれば、台湾に来るということは、一つの「愛国」の選択だった。彼らの認識のなかでは、「中華民国」は祖国であり、「中華人民共和国」は三民主義によって

12 **呂秀蓮** 一九四四年生まれ。民進党の代表的な女性政治家。陳水扁総統のとき、八年間副総統。

統一されなければならないところだった。これがあの人たちの歴史観だ。両親は国民党こそ正当で、いつも反対ばかり唱えている民進党は社会の混乱の根源だと考えていた。

あのころ、第四原子力発電所建設[13]の賛否が台湾社会の尽きせぬ論争のネタで、あのときの選挙の情勢を左右していったばかりでなく、選挙後まで確執が尾を引いていった。その後、第四原発建設反対の陳水扁総統が行政院長唐飛（タン・フェイ）を更迭するのだけれど、国民党籍で軍部と関係の深かった唐飛は、任命されてわずか一三九日しか経っていなかった。これに対し、国民党、親民党、新党など国民党系三党は立法院に総統罷免案を提出するのだ。

高校には、わたしやクラスメートからとても尊敬されていた地理の先生がいた。総統選が近づいた時期、地理の授業はちょうど原子力発電の問題を扱う課になった。いま振り返ってみると、その先生が自分なりの政治的傾向を持って、わたしたちに意識的に特定の観念を注ぎこんでいたのかどうかはわからないが、こんなことを言ったのを覚えている。もしも人為的なミスがないならば、原子力発電というのは本来とても安全なものなのよ、と。先生の話したこの観念は、深くわたしの心に植え付けられていて、のちにテレビで立候補した人が第四原発問題で発言するのを見たときに、わたしはそういう人たちがなぜ第四原発を建設したくないのかどうしてもわからなかった。たとえば呂秀蓮は、台湾の電力はあと七年は十分にもつから、その間に代替エネルギーをどうするかじっくり時間をかけて考えられると言っていた。もう一方では、宋楚瑜が意見を表明し、長い視野に立てば、原子力発電は必須だと言った。そのときわたしは、人為的なミスがない限り安全だというなら、どうして手っ取り早く利益の上がるやり方を取らないのだろう、だってあと七年もこの状態のままでいれば第四原発を造らなくなるんでしょう、と思った。わたしはあのころ別な側面の情報を理解しようとしていなかったし、考えてもいなかった。それは人為的なミスがなければ安全だというけれども、完全にノーリスクだと言いきれるわけではない、ということだ。第四原発建設で利益を得るのは工業用電力であって、民生用の電力ではないということも、わたしは知らなかった。わたしはまだ総合的に情報を収集することなどできなくて、自分で勝手に正しいと思いこんだら、それでもうすぐ判断を下していたのだ。

結局のところ、わたしはこうして両親に従って宋楚瑜を支持した。のちになって、宋楚瑜が国民党の総裁候補者選びの競争で不利になり、党組織を割って親民党を作ろうとしたとき、父は絶対加入するんだと勢いこんで言っていた。その後の成り行きは、父はまったく入党などせず、ただ言葉の上のことだったと証明している。このことは、我が家で間歇的に起こる選挙好きのパッションを示す好例なのかもしれない。あのころはたいへん落胆していたけれど、何日か経つとそれほど腹ただしい思いも辛い思いもしなくなっていった。わたしにとってはおそらく、いろいろな球技の試合を観ているのと同じだったのだろう。自分が熱を上げる選手やチームがあってはじめて、ゲーム観戦にも参加意識が高まる。ライバルに対しても必ず何か相手を憎たらしく思う理由を見つけなければいけない、そうやってようやく、ゲーム全体の流れに魅入られる興奮がある

13 **第四原子力発電所建設** 台湾電力によって建設計画が進められたが、原発反対運動と相次ぐ事故により、中断。馬英九総統の時代に建設計画の再開を目指したが、非常に厳しい反対運動が巻き起こり、延期されたままとなった。蔡英文総統は二〇一七年に脱原発法を成立させ、二〇二五年までに全廃することを目指している。

のだ。選挙もこういうふうにやらなければ、平々凡々にすべてが終わり、四年に一度の一大セレモニーをむざむざと逃してしまうというわけだ。

敵陣深く

民進党に対しては、自分が当時なぜあんなに彼らの勝利が嫌だったのか、思い出せない。わたしの民進党のイメージは断裂していて、彼らが党外にあった時期のさまざまな出来事や歴史的経験を、理解も認識もまったくしてこなかったから、わりとたやすく一面的に彼らを嫌ってしまったようだ。民進党はわたしのなかで、もはや「他者」あるいは「敵」と認識するようになっていて、それを前提にしたうえで、民進党の理想主義や、彼らがかつて台湾の民主主義のために犠牲になったり奮闘したりしてきたことなどを、わたしは受けとめた。そして「そういうのはかつての彼らのこと」と考え、やはりどうしても彼らの現在の行動を認められなかったのだ。

政界の大イベントへの身の投じ方は、政局によって変化するものだ。わたしの記憶では、二〇〇〇年以前は我が家の民進党に対する態度は、どちらかと言えば好きではないという程度にとどまっていた。陳水扁が総統になってから、メディアでの露出度はさらに高まり、ニュースが彼の「失言」を報道するようなシーンになると、父は決まってテレビの画面に向かって罵った。一体どんなことを罵っていたのかは、もう覚えてはいない。しかも陳水扁は、しばしば台湾語でスピーチをしていて、我が家では父が台湾語を話す人との接触が多い以外は、他の家族はあまり台湾語がわからなかった。以前のある時期、わたしと妹は台湾語で話すことがとても「ダサい」とさえ感じていた。これはわたしたちが「流行イコール台北」「〈ダサい〉イコール中南部」とイメージを繋いでいたというわけではない。「ダサい」はあのころの流行語で、この言葉が使われたのは、わたしたちがまったくよく考えもせずに、こういう言い方を「センス」があると思いこんでいたただけのことだ。

逆に、母のほうが一生懸命台湾語の訓練をしていた時期があった。以前第四放送局にはカラオケ専門のチャンネルがあり、母はしょっちゅう電話でチャンネルに参加し、ビデオで録画もしていた。その後、この手のチャンネルはほとんどなくなってしまったのだけれど、母は、今度は海賊放送局［非合法のラジオ放送局］に転戦していった。わたしは妹と二人で母にこのことを問い詰めたときのことを覚えている。お母さんはあの人たちの話なんか聴き取れないって言ってたじゃないの、どうして海賊放送にまで潜り込んで歌わないといけないの、と。母は「敵陣深く入りこむのよ」と答えた。あのころ、視聴者のなかには母の歌のファンがけっこういたらしく、母は海賊放送局に対してとても満足していて、このルートを通してお仲間もできていた。もしかしたらあのころ、母のほうがわたしたちよりもずっと「他者」を理解していたのかもしれない。

青春・政治三部作 序曲――『消失しえない台湾省』

二〇一八年、公共テレビ局と国影センター〔国家電影中心〕が共同企画「台湾の歳月」に取り組み、十四名の監督を招聘(しょうへい)して国影センターの所蔵する映像資料を使った短編作品を制作した。これは二〇一八年台湾国際ドキュメンタリー映画祭で初上映され、公共テレビ局でも放映された。傅楡(フー・ユー)の『消失しえない台湾省』は「台湾の歳月」企画の成果の一つだ。フィルムは二五分間で、三種類の映像を織り込んで作られている。

その一は、台湾省政府の政策宣伝フィルムで、一九五七年に台湾省政府が南投中興新村に遷(うつ)り、蔣介石(ジアン・ジェシー)が視察したときの映像、一九七〇年に第六回全国国語文コンテストが実施され、省政府教育庁長の潘振球(パン・ジェンチウ)が国語〔大陸の「普通語」〕の使用を奨励している映像、一九九三年に宋楚瑜が台湾省政府主席の座を引継ぎ、国中くまなく経巡って国民のための政治に邁進するという映像、などが含まれている。

その二は、台湾語の古い映画『黄帝の子孫〔原題・黄帝子孫〕』『王哥劉哥007〔原題同じ〕』『さよなら台北〔原題・再見台北〕』など劇映画のシーンだ。

その三は、傅楡本人が登場しての語りで、彼女はカメラに向かって、「映像外の声」と問答している。さらに、前述の二種類の映像をモンタージュの手法でちりばめ、「台湾語の外」「台北の外」「台湾省の外」「国民党の外」などのテーマに沿って、彼女自身の台湾アイデンティティとその焦慮について解析を進めていく。

傅楡は子どものころ台湾語が聴き取れず、学校でクラスメートたちから台湾語で嘲笑され、排斥された経験から始めて、自分の成長の過程を振りかえり、積極的に仲間としてのアイデンティティを求めながらも、逆にいつも排除されてしまうという感覚の心理的歴程を回想した。彼女は自身の「台湾語が話せないこと」や「台北人としての身分」と、政治的な立場においての国民党を支持してきたこととを繋ぎあわせて、自分が本省人と同じ経験をしてきていないが故に、彼女自身が「国民党と同じように彼らによって外側に排斥されてきた」と感じる。しかし彼女は歴史への理解が深まるにつれて、白色テロの時代に国民党が迫害してきた対象は本省人だけではなく、国民党に反抗するあらゆる人々に及んでいたことを認識するようになり、彼女の心のなかの、本地・外来の差異が次第に融解していったのだ。

傅楡のモノローグとコントラストをなすのは、資料映像をつなぎ合わせることによって作られた叙事の流れであり、歴史から消え残った貴重なシーンを駆使し、台湾省が構築されて台湾アイデンティティが貶(おとし)められていく過程がオムニバス的に浮かび上がる。資料映像を通して、我々は政府が必死に宣伝してきた、省政府の成立や国語推進などの歴史的場面を見ることができる。また台湾語の古い映画の場面からは、党国体制〔国民党一党独裁〕下の教育が大中華意識を構築していく時代の雰囲気がよくわかる。傅楡が選択して作品に挿入した古い映画のシーンはやはりこの主題に関係している。たとえば『黄帝の子孫』のあるシーンでは、教師が生徒全員に「私たちは誰の子孫ですか？」と問う。林瑞華（リン・ルイホア）は標準的な解答である「黄帝の子孫です」が出てこず、「僕はお父さんの子どもです」と答えて、クラス中の笑い者になってしまう。その後のシーンで、林瑞華と同級生許徳智（シュー・ドージー）が喧嘩を始めるのだが、教師が生徒たちに喧嘩の原因を問い質していくうちに、林瑞華が許徳智のことを外省人だと言い、許が林を台湾人だと罵ったことがきっかけで、取っ組み合いになったとわかる。教師は経緯がはっきりした後、林瑞華を「地元意識がひどすぎる」と言って叱責した。——傅楡はこのシーンと自分が同級生から台湾語で排斥された経験を対照させ、それぞれのメタファーとした。

このコントラストから言うと、本作品は本省人・外省人の分割が自然発生的に起こったのではなく、党国体制下で一つの集団が別な集団を貶め嘲笑して、それが長い間積み重なってきた結果だと指し示しているのだろう。だから、真に検討が必要なのは、傅楡を排斥した台湾語を話す集団のことではなく、このような分割をもたらした政治体制にあるのだ。歴史と政治の深い混迷を突き破ることなしに、アイデンティティ問題の根本的解決などあり得ない。本作品の最後、映像外の声の問いかけがアイデンティティ問題の核心に迫る。「あなたは結局、みんなからどういうアイデンティティを認めてもらいたいの？」傅榆は答えられないまま、しばらく考え込んでしまう。映像は『黄帝の子孫』の林瑞華と許徳智の喧嘩シーンに切り替わる。それから傅榆は涙に咽(むせ)びながらようやく語り出す。「わたしはたぶん、ああいうわたしを認めてくれなかった人たちに、わたしのアイデンティティを認めてもらいたいのだと思うの。わたしはあの人たちとは確かに違う、でもそういうことこそ、わたしの価値観に属することなんだとも思っているわ」と。

第三章　ドキュメンタリーって、こんなでいいの？

ドキュメンタリーへの目覚め

人生のほぼすべての段階で、学問に限らず、わたしにはいつも、深い影響を与えてくれる先生がいた。自分でもずっと気づいていなかったけれど、このことは、比較的安易に権威に追従してしまうわたしの一面を表しているのかもしれない。もう一つ気づいたのは、わたしがアイドルのように崇める「先生」は皆、批判精神が特に強いということだ。自分がそういうタイプではないからこそ、批判的な気質を持つ人に惹かれるのかもしれない。

大学時代のあこがれは郭力昕（グオ・リーシン）先生で、わたしは彼の批判精神が大好きだった。彼の講義の内容や方法は前衛的で、絶えずわたしの視野を広げてくれた。たとえば、「視覚文化と批評」という講義では、わたしたちにアダルトビデオを見せ、その製作のシステムや、その背後にある父権文化を分析した。彼は講義の中で、わたしたちに、新たな視点から九・一一事件を捉えさせようとしたこともある。それまで、わたしたちはただ、ビンラディンたちを恐れ憎むべきだと思っていた。けれど、わたしたちが受け取る情報をきちんと分析してみると、アメリカの考え方に強く影響されていること、そのアメリカにも悪い部分があることに気づかされる。また、何春蕤（ホー・チュンルイ）

の著作『豪爽女人［The Gallant Woman――Feminism and Sex Emancipation］』[2]を見せ、ジェンダーの観点から議論したこともあった。毎回書籍の一部や論文が配られ、わたしたちは表面ではなく、それを透して物事を考えるよう求められた。

彼は、学生が自分と対等に振る舞うことを好んだ。わたしが平等の概念を重視するようになったのも、その影響だと思う。「卒業したら、先生とは呼ぶな、力昕（リーシン）と呼ぶように」といつも言っていたけれど、わたしはどうしても慣れなくて、なかなか呼び方を変えられなかった。卒業して、時々食事の約束をするようになってようやく、わりと友達のようになれたかと思う。

けれど、本当の意味で、ドキュメンタリーへの道を開いてくれた先生は、郭力昕先生ではなく、盧非易（ルー・フェイイー）先生だった。

彼が講義で流すドキュメンタリーは、本当に幅広かった。先輩や友人からは、ドキュメンタリーの講義で見せられるのは、だいたい農業や漁業の発展史の類で、総じて退屈で、説教くさくて、使命感が強すぎると聞いていた。けれど、盧先生の講義は違っていて、彼がわたしたちに見せるドキュメンタリーは、様々な様式を幅広く含んでいた。たとえば、一九二九年にオランダの監督ヨリス・イヴェンスが撮影した『雨［Rain］』。これはとても詩的なドキュメンタリーで、街に雨が降る影像にBGMを配した、クラシックのミュージックビデオのような作品だった。盧先生はわたしたちに、周美玲（ジョウ・メイリン）[3]監督の『私角落［Corner's］』[4]も見せたが、作品中、一部のシーンは人形を使って撮影されていて、独特の味わいがあった。このころのわたしは、ドキュメンタリーについての知識がまったくなかったので、これらの作品を見て特別なものだと感じ、「ドキュメンタリーって、こんなでいいの?」と思った。

　さらに特別だったのは、ある先輩たちの卒業制作『網事追憶録』[5]だ。それは、ある女子学生が盗撮者によってストーカー被害に遭っている、という内容のモキュメンタリー［フェイクドキュメンタリー］なのだが、インタビューや主人公への密着取材、パソコン画面、盗撮者を待ち伏せして盗撮するなどといった様々な手法が使われていて、ドキュメンタリーであるとしか思えなかった。作品の最後まで観て、わたしは愕然とした。この作品はまったくの作り物で、はなから現実の記録ではなかったのだ! 体中が震えるような衝撃だった。視界が開かれ、わたしの脳裏には突然、ドキュメンタリーには多くの創作の可能性が、劇映画に勝る可能性があるのではないか、という想いが浮かんだ。特に、ドキュメンタリー撮影には、技術的な制約が比較的少ない。一方、劇映画はハードルが高く、現実のような世界観を生み出すためには多面的な考察が必要で、場面の調整や役者への指導など、より深奥な学問が必要になる。けれど、当時のラジオテレビ学部のカリキュラムでは、こうした内容に精通することは難しかった。だから、わたしが作る劇映画は、どれもひどく嘘くさかった。少しでもわざとらしさがあれば、決して良い作品にはならない。作

1　**何春蕤**　一九五一年生まれ。台湾の国立中央大学教授。ジェンダー研究者。
2　**『豪爽女人』**　原題は「大胆な・さっぱりした女性」という意。
3　**周美玲**　ゼロ・チョウとも表記される。一九六九年生まれ。台湾の映画監督。国立政治大学哲学学科卒。ドキュメンタリーやLGBTに関する作品で有名。
4　**『私角落［Corner's］』**　二〇〇一年、台湾。ゲイバー「Corner's（片隅）」を舞台とするドキュメンタリー同性愛映画。
5　**『網事追憶録』**　原題は「ネット上のできごとの追憶録」の意。

品の良し悪しは、コンクールに応募すると、差となって現れ、わたしは自分が劇映画をうまく作れないと考えていた。

けれど、ドキュメンタリーならばわたしでも作れるかもしれない。ドキュメンタリーの可能性は広いし、技術的な敷居も比較的低いからだ。そこで、わたしはドキュメンタリーを媒介として創作を進めていくことにした。もし、わたしの創作そのものの原点に遡るなら、それはもっと早い時期になるだろう——基礎から上級の撮影技術を学習していたころ、ただ一枚の写真を撮影するのではなく、複数の写真をつなげて一つの特定のテーマを表現することを構想してみたいといつも思っていた。

たとえば、わたしは「夢」に関する作品を作ったことがある。ある種、インスタレーションのような作品だ。不眠になりがちなタイプだったわたしは、自分が眠りに落ちる「瞬間」を見つけることに固執していた。けれど、これはそもそも不可能なことだ。もし、その瞬間を見つけようとしていたら、眠れなくなってしまう。そこでわたしは作品を作った。ピントのずれ具体が異なる四枚の写真を使って、一枚、さらに一枚とよりあいまいになっていく感覚を表した。けれど、わたしは眠りに落ちる瞬間を見つけたいのであって、どうしたらそれを表現できるのかわからなかった。先生やクラスメートとも話し合ったが、議論の後で先生はこう言った。「これは一つのサイクルとすることができる。観客に君の眠れない頭の中を見せようとするなら、写真は外側に向かって回転させるか、内側に向かって回転させるか、君が考えたらいい」わたしは、皆をわたしの頭の中に向かわせたいと思って、内側に向かうほうを選んだ。これは、一種の流動的映像の制作で、様々な画像メディアを線形に配置することで、自分の感覚や考え方を表現する試みだった。しかし、このころ、わたしはまだ最適な創作方法を見つけられていなかった。

ドキュメンタリー課程の、ある学期の課題に取り組むことになったときに、わたしはようやく自分がドキュメンタリーにわりと憧れを持っていることに気がついた——わたしとクラスメートは、わたしたちと同じ大学二年生の女子学生を撮影することに決めた。年齢はわたしたちと大差なかったが、彼女はすでに結婚し、妊娠していて、大きなおなかを抱えて校内を行ったり来たりしていた。在学中に結婚、妊娠することは、わたしたちの世代にとっては極めてまれなことであったから、興味をひかれて彼女を撮ることにした。このとき、わたしは初めて意識した、撮影を通して自分と違う世界にいる人を知ることは、なんと魅力的なんだろうと。わたしはどちらかというと内向的なので、自分の生活圏も比較的狭い。けれどもドキュメンタリーを撮影した経験は、わたしのような決して活発でない人間も、カメラの後ろに隠れることで、他の人の本当の生活に自然と入り込み、自分の世界観を広げられることを気づかせてくれた。もちろん、そのときはまだ、自分がそうした動機をもってカメラの後ろに隠れているなど意識もしていなかった。これは、ドキュメンタリーが抱える倫理上の懸念でもあるかもしれない。

あるとき、卒業後に国立台南芸術大学の音像記録研究科に進学した先輩と遭遇し、わたしもそこを受験しようと思うようになった。そのとき、彼は先生に会うために大学に来ていて、たまたまわたしもその場に居合わせたのだ。わたしは、彼が不合理な社会や悪習慣に憤りを持つようになり、表情もいくらか郭力昕先生のような雰囲気が出てきているのを見て、その研究科に興味がわきはじめた。実際のところ、ドキュメンタリーに興味がある場合、台湾での選択肢は、その研究科だけなのだ。

彼に、研究科はどうかと尋ねた。

彼ははただこう答えた。「悪くない。ただ、とにかく田舎だ。山の上、畑のそばにある」。

大丈夫、それでこそ創作に集中できるはず、とわたしは思った。

政治に向き合わない台湾ドキュメンタリー文化

国立台南芸術大学〔南芸大〕の音像記録研究科を受験するため、わたしは学習計画書を作った。ドキュメンタリーに関連する書籍や論文を集めていくうち、郭力昕先生の力作「政治に向き合わない台湾ドキュメンタリー文化：「台湾国際ドキュメンタリー映画祭」の示唆」[6]を見つけた。これは二〇〇四年一二月一一日の『聯合報』[7]の特別欄で発表されたものだ。郭先生はこの文章の中で、台湾はすでに言論の検閲や政治危機といった社会環境を離れて久しいが、若いドキュメンタリー制作者は依然として政治的テーマを恐れているようだと指摘している。彼の言う政治とは、セクシュアリティやマイナーな文化的特性を持つエスニック・グループにまで及ぶ広義の政治ではなく、まさに「現実の政治」と「台湾の政治現実」を指す狭義の政治だ。彼は、国芸会[8]の一九九七年以来の「ドキュメンタリー制作」の企画に、三〇〇件以上の申請があり、八一件が補助を獲得しているが、政治をテーマにした作品は一件もないことと、台南芸術学院音像記録研究科（二〇〇四年八月に国立台南芸術大学に名称変更）の一九九七年の設立以来の全ての学生の作品に、政治にテーマを絞ったものが一本もないことを例に挙げている。一方で、世界には、台湾よりも政治的情勢が厳しい国が多数存在するが、上映禁止や亡命という運命を恐れず、カメラを持って大胆に記録と行動を進めていると述べ、台湾社会にあるドキュメンタリーの作り手は、なぜ政治的テーマを恐れるのだろうか、と疑問を呈している。

わたしは研究科のＢＢＳでこの論文を見つけ、――郭力昕先生は、ドキュメンタリーを専門的に研究されており、わたしのアイドルでもあるから、当然これを読んだ。一方でわたしは、実情は先生の言うような状況ではないと、証拠を挙げてある人が反論しているのも目にした。『暗夜哭声』[9]を撮影し、国芸会の補助を受けた洪維健（ホン・ウェイジエン）[10]監督は、自分の作品は白色テロをテーマにしているという指摘の手紙を送っていた。

郭先生は、穏やかに紙面で訂正をした。彼が引用した国芸会の資料のうち、統計表の中に「政

6 **「政治に向き合わない台湾ドキュメンタリー文化「台湾国際ドキュメンタリー映画祭」の示唆」** 原題は「不礙政治的台湾記録片：「台湾国際記録片雙年展」的啓発」。

7 **『聯合報』** 台湾の日刊新聞。台湾の四大新聞の一角を占める。

8 **国芸会** 国家文化芸術基金会。一九九六年に設立された台湾初の公的な芸術文化基金。助成・顕彰・研究・文化資源開発において幅広い活動を展開している。

9 **『暗夜哭声』** 二〇〇六年、台湾。一九五〇年に政治犯として投獄された監督の父母や、監督自身を題材としたドキュメンタリー映画。収監時に監督を身ごもっていた母は、一時出所して監督を出産。監督は一年間刑務所内で育てられた。

10 **洪維健** 一九五〇～二〇一八年。台湾のドキュメンタリー映画監督。台湾社会で起こった社会的な事件を題材とした作品を多く残した。

治」をテーマとすると分類されたものはないが、注意を怠ってしまった「その他」と分類されたものの中に、政治をテーマとするものが含まれている可能性があると述べた。「政治をテーマとした作品が一件もない」という記載を、「政治というテーマに分類される作品がない」と修正し、また読者と洪監督に謝罪した。

今、改めてこの論文を読むと、やはり筋が通っていると思う。台湾には、政治をテーマにしたドキュメンタリーは確かに少ない。完全にゼロではないが、郭先生は確かに、相対的な空白地帯を指摘している。わたしはそのとき、「国民党・民進党［原文・藍緑］」[11]の問題を自身の卒業制作のテーマにすることを決めた。そのときのわたしにとって政治とは、「国民党・民進党」の問題とほぼ同義だった。郭先生は、あの論文がわたしにこれほどの影響を与えたとは知らないだろう。いろいろな場面で彼によく会うようになり、だんだんと友人の様に話ができるようになってきたが、わたしはまだこのことを彼に伝えていない。

彼らが負けてもわたしは何でもないの

政治を語りはじめる際に、なぜわたしが政治と「国民党・民進党」の問題をイコールで結んだのかについては、大学時代から話しはじめる必要があるだろう。

大学時代、わたしの政治的立場は、依然として特に分別なくぼんやりと青［国民党］を支持しており、種々の政治的立場の違いとその成因を、細かく区別することすらできなかった。大学二年になってすぐ、同じ学科の友人としゃべっていたとき、ちょうど陳水扁（チェン・シュイビエン）総統が演説するニュースがテレビで流れた。わたしの口をついて出たのは、いつも家で父がテレビに向かって言う「陳水扁って、何もしてないくせに、いつもパフォーマンスばかりね」という言葉だった。後になって知ったが、クラスの多くの学生が緑［民進党］をたいへん支持しており、こうした発言は喧嘩を売るのと同じだった。けれども、わたしは当時、ほかの人の政治傾向など、本当に考えたこともなく、ただ家にいるときと同じように、自然と口に出してしまったのだ。

だから、一番仲の良い友人が、怒った様子でこう言うなど、思いもよらなかった。「どうしてあなたは、何もしていないなんて言えるの？　彼が何をしてきたか、あなたは知っているの？」

わたしはそのとき、本当に驚いてしまった。彼女と衝突したくないと思う一方で、負けを認めたくもなかった。「じゃあ、彼が一体何をしたのか説明してよ」と、直接言い返したのかどうか、その後のことは忘れてしまった。ただ覚えているのは、周りの友人が、わたしたちを引き離して、その後二度とこの話題に触れることはなかったということだ。

この事件以来、わたしは友人に向かって安易に自分の政治的立場を話すことなど到底できなくなった。こうした感情的な感想は、政治的志向が異なる人の前で言うべきではない、ということもわかってきた。こうした話をしたくなるのは、すぐに同意を得て、自分の想いを語りたいため

11　**藍緑**　「藍」は、青・ブルーという意味で、国民党のシンボルカラーである。緑は、民進党のシンボルカラー。台湾においては、青や緑には単に政党を指すだけにとどまらず、より広い政治的な傾向を含意することも多く、本書では「藍」は原則として「青」に置き換え、文脈にあわせて訳し分けている箇所もある。

でしかなく、同意が得られなければ、想定していなかった衝突が起こるからだ。このことがあってから、わたしはニュースを見ても自分の感想を言えなくなった。あるとき、新しく知り合った友人と食事中に、テレビで政治ニュースが流れ、相手が先に自分の立場を明らかにして、彼女とわたしが好きな人物・嫌いな人物が同じであることを確認できてようやく、彼女とおしゃべりを続けることができた。わたしは、自分のこうした心理状態に納得がいかなかった。どうしてこんなにびくびくする必要があるのだろうか？　同じ立場の相手としか「政治のおしゃべり」などできないのだろうか？　こうした状況のために、わたしは政治をとても嫌なものであると感じていた。そして、民進党支持者とはうまくやっていけないと思っていた。

二〇〇四年の総統選挙のとき、わたしはついに投票権を得た。けれども、支持したい候補者が一人もいなかった。その年は、民進党と国民党の二大政党の争いだったが、陳総統は嫌いで、まったく投票する気はなかったし、国民党の候補である連戦（リエン・ジャン）にも、あまり興味がわかなかった。わたしの好きな宋楚瑜（ソン・チューユー）は、副総統の候補者であったので、「勝つしかない」といった感覚はなかった。こんな気持ちで投票するのはとても空虚だった。

意外なことに、投票前日に三・一九銃撃事件が発生した。台南市内でパレードをしていた陳水扁と呂秀蓮（リュー・シウリエン）の車が、金華街を通った際に銃撃されたのだ。犯人は二発の銃弾を撃ち、一発は陳総統の腹部に、もう一発は車のガラスを破り、呂副総統の膝に当たった。翌日の選挙の結果、陳水扁と呂秀蓮は二万票強の差、〇・三％に満たない得票率の差で勝利を収めた。事件後、警察が容疑者を探しだしたが、すでに奇妙な死を遂げており、真の動機も、誰かの指示があったのかも、わからずじまいだった。しばらくの間、様々な陰謀説があちこちからあがった。

わたしは銃撃事件をすぐに知ったわけではなかった。投票前夜ですら政治番組が一体何を議論しているのか、よくわかっていなかったし、陳水扁が再選してしまうのではと、少し心配していたことしか覚えていない。両者の得票数の差が三万票に満たなかったことを見て、わたしは政治番組と家族の影響を受けて、この選挙は極めて問題があると決めつけていた。後日、陳水扁と呂秀蓮が、演台で「台湾に天祐あり」「台湾のために弾丸を受けた」といった話を声高にしているのを見て、ひどく気分が悪かったし、三・一九銃撃事件は本当に疑わしいと思っていた。選挙前は連戦をさほど支持していたわけではなかったが、選挙後にこの混乱を目の当たりにして、わずかな得票差・無効票の多さについて、わたしもその他の「青陣営〔原文・泛藍[12]〕」に投票した人たちと同じように、負け方がとても「しっくりいかない」と感じていた。わたしの家族も皆、すごく憤っていた。

開票当日、連戦・宋楚瑜の国民党陣営は、この選挙を無効とする訴えを提出した。選挙からおよそ一週間後に、国民党陣営は大規模なデモを実施した。わたしの両親もこのときは珍しくお出ましになった。彼らがこうした事情のために外出するなんて思いもよらなかった。ニュースでは、国民党陣営が総統府前の凱達格蘭大道（カイダーゴーラン）[13]で抗議する様子を絶えず報道していて、わたしの中

12 **泛藍**　泛藍連盟、ブルー陣営とも。国民党や国民党と同じような主張の政治団体のことを指す。

13 **凱達格蘭大道**　総統府の正面から東に伸びる全長四〇〇メートル・両側一〇車線の大通り。元は介寿路（蔣介石の長

にも怒りはあったが、一両日が過ぎると日常が戻ってきて、この事件に心から関心を寄せることはなくなった。とはいっても、基本的にわたしは彼らを支持していて、問題があればきちんと調査すべきで、最も重要なのは票を再度確認することだと考えていた。

あのころ、わたしたちの学科のＢＢＳに、ある先輩が中立に見える話ぶりで、凱達格蘭大道でデモをしている人たちを批判する文章を投稿した。それに続く投稿はこぞって付和雷同の雰囲気が充満し、他の意見はまったくなく、とても嫌な感じだった。当時の学科は、後輩から先輩に反論などできるような雰囲気ではなかった。けれども、翌日この件について友人と議論しているうち、わたしたちは考えれば考えるほど不愉快になって、誰もが同じ考えではないということを、皆に知らせたくなった。そこで、わたしは別の立場だと表明する文を投稿した。その晩、すぐに別の先輩がわたしに反論してきて、古典を引用しながらわたしにはまったく道理がないことを証明し、その行間からはわたしへの軽蔑がにじみ出ていた。わたしは自分が馬鹿で、なにも知らないまま他人と議論しようとしているかのように感じた。そのとき、わたしは自分が本当に幼稚すぎると思ったし、わたしの考えに賛同してくれる人もいなかった。のちにある先輩と何人かの同級生が支持を表明してくれたけれど、皆個人宛のメールかＭＳＮメッセンジャーで、ＢＢＳ上で支持してくれる人はいなかった。最後にわたしを支持してくれた先輩が、仲裁者のような立場で文章を発表して、この一件は幕を閉じた。しかしこれ以降、皆の自分を見る目が変わったのを、わたしははっきりと感じていた。わたしは、コテコテの青支持者で、全面的に国民党を支持する過激な人間と認識されたらしかった。助教がわたしに「青が負けたからって、そんなに思いつめないで！」と声をかけるほどだった。わたしはただみんなに、国民党が負けたってわたしはまったく何でもないの、と言いたかっただけだ。

わたしが苦しかったのは、自由に自分の考えを表現できないこと、考えを口に出せば嘲笑されることだった。民進党のために話をする人は、中立の立場をとりながら、言論において優位に立つことができた。そのころから、わたしはさらに民進党が嫌いになり、それに伴って民進党を支持する人も嫌いになった。大学時代のこうした経験によって、わたしはずっと政治に対して良い印象を持てず、不満ばかり感じていて、民進党やその支持者を理解しようというモチベーションがまったくなかったのだ。わたしは国民党の黒い歴史についても、何も知らなかった。後に、郭力昕先生の授業を履修してようやく、かつての国民党による専制と抑圧や、民進党の理想に溢れた「党外」の時期についておぼろげに知るようになった。

今思い出してみると、当時のわたしは深く政治に関わっていたわけではなかったけれど、実際は、すでに政治の中にいた。台湾で暮らすわたしたちは、九〇年代から二〇〇〇年代のはじめまで、ほとんどみなが政治的な話題に巻き込まれていた。当時、台湾は初めての総統を選ぶ直接選挙をようやく経験したばかりで、ほぼすべての人が、自分の立場を持つと同時に、他人の立場を知ることとなった。突如、わたしたちは性別・年齢のほかに、人々をカテゴライズする新たな方

寿を祈念する路）という名だったが、一九九六年に台北市長の陳水扁によって、台北付近に居住していた原住民の凱達格蘭族に由来する名称に変更された。

法を持つこととなり、それが「青と緑［藍緑］」という異なるグループで分けるというものだった。学校や日常の人間関係において、こうした分類を避けることはすでに困難になっていた。問題なのは、どうやって自分と異なる立場の人と向き合うかだ。これはわたしが幼いころ経験した、不愉快なグループ分けと同じようなことなのだろうか。

こうしたことについて、当時わたしは具体的に発言した経験がまだなく、加えて、郭力昕先生の論文に影響を受けたこともあって、研究科に提出する学習計画に「政治に関するテーマを扱いたい」と書いた。そして、研究科の卒業制作で、わたしは台湾の「国民党・民進党」政治を議論する第一作目のドキュメンタリー『鏡よ、鏡』を撮った。

『鏡よ、鏡』について

南芸大音像記録研究科の先生たちのバックグラウンドは多岐にわたる。たとえば、記者出身の蔡崇隆（ツァイ・チョンロン）先生はその一例だ。蔡先生の過去の撮影経験は、報道がベースとなっているので、授業でも報道的ドキュメンタリーを見せることが大半だった。この類のドキュメンタリーの特徴は、特定の社会的テーマに焦点を当てていることで、ドキュメンタリーを通して問題を批判したり、特定のグループのために声を上げたりしている。

蔡先生は、学生との議論をよく受け入れてくれて、一つの考えに固執することなく、わたしたちの考え方を真剣に聞いてくれた。わたしと友人の意見が食い違ったとき、彼はわたしたちの議論を聞きながら、彼自身の考え方も示してくれた。彼がわたしに与えた影響や示唆は少なくない。
しかし、蔡先生は新任の教員であったため、卒業制作の指導教員に彼を選ぶことができなかった。わたしの学生時代、南芸大音像記録研究科には三大巨頭として、撮影芸術とドキュメンタリーに精通した張照堂（ジャン・ジャオタン）先生、ヒューマニズムへの配慮を備えた報道撮影に長（た）けた関暁栄（グアン・シアオロン）先生、映画の修復と保存にこだわりを持つ井迎瑞（ジン・インルイ）先生がいて、わたしたちの卒業制作指導は、この三人から選ぶほかなかった。

いろいろと考えて、わたしは井迎瑞先生を選んだ。彼の理念に共感していたからだ。彼はずっと「行動研究」を試みると同時に、「監督不要論」という概念を提唱していた。それまでは、誰もがドキュメンタリーは映像による叙事的な創作であると考えていて、みなが監督になり、優れた創作者として名を成したいと思っていて、創作者がドキュメンタリーの重要な要素となっていた。井先生はこの概念に挑戦しようとしていて、ドキュメンタリーを撮ることは必ずしも創作ではなく、「行動研究」の一つの方法でもあると考えた。そうであれば、ドキュメンタリーは、ただ監督を創作者たらしめるだけでなく、それを通して何らかのテーマを研究していけるのだ。この考え方に影響を受け、わたしは論文のタイトルを「研究方法としてのドキュメンタリー制作：『鏡よ、鏡』を例に」とした。

井先生の「行動研究」は、まとまったグループや団体と、一緒に何かに取り組む方法だった。彼は記録映像をつなぎ合わせることによって作品を作るのではなく、撮影した内容がそれぞれの背景や文脈を持っていれば、それらを整理して、データベースを作れるのではないかと考えていたのだ。たとえば、わたしが撮影した『鏡よ、鏡』も、撮影した素材を何らかの方法を使って整理すれば、素材は細かく分類することができ、必ずしも叙事的な文脈や物語性のあるドキュメンタリーとして繋げる必要はなく、一つ一つが関連したテーマのデータベースとなる。そのテーマに興味がある人は、データベースを調べ、閲覧すればいい。その中にはすべての記録映像が保存されているので、自分で関連性を探し出し、新たに構築し注釈を加えることもできる。これらは一種の社会貢献とも言えるだろう。

当時のわたしは、「行動研究」により、一体どんなことができるのか、よくわかっていなかった。同級生にも、「行動研究」によるドキュメンタリーに対していいと思うような人はまれだった。多くの人は、先入観にとらわれやすく、こうした作品はつまらなく、何を表現したいのか分からないとみなしていた。けれども、わたしは「行動研究」の考え方に強く惹かれた。わたしにとってドキュメンタリーを撮ることは、それを芸術品として取り扱おうとするのではない。わたしのもともとの創作の動機は、ドキュメンタリーを通して何かを理解すること・研究することだ。こうした作品は確かに面白くはないかもしれないけれど、わたしは、その中から何らかの法則を見つけることができると思う。わたしにとって、これは既存の形式を脱却し、さまざまな想像力を発揮できる空間なのだ。通常の監督中心論に基づく作品は、先験的に受け継いできたものであり、疑念を向けられることもさしてない。けれども監督不要論に基づく作品は、常識を覆すような異端者であり、わたしはこの異端者がどのように変化していくのか知りたかった。

卒業制作として『鏡よ、鏡』を撮ると決めたのは、二〇〇七年の九月、あと半年で総統選挙というときだった。わたしは自分の家庭、それから、研究科の友人である曽也慎（ゾン・イエシェン）の家庭を撮影しようと考えた。まず、双方にそれぞれ自身の政治的立場を話してもらい、それをカメラで撮影する。それから、両者にお互いの撮影された映像を観てもらい、どのような火花が噴き出すのか見守ることとした。也慎を選んだのは、以前友人と食堂で食事をしていたときに、たまたま政治問題が話題になったことがきっかけだ。也慎は自分の政治的立場を示し、政治的な話題も避けなかった。聞いてみると、彼の家族は皆、生粋の緑だった。わたしは入学前から、政治的テーマで卒業制作に取り組むと決めていたから、彼の話を聞いているうちに、インスピレーションがわき、政治的立場の異なる家族を訪問するという企画のひな型ができた。テーマが決まるとすぐ、わたしは彼に連絡し、その後の訪問がスタートした。

井先生は、わたしのこのアイディアを知って、「青か緑か」といううわべだけを見たり、政党傾向を単刀直入に訊ねたりするのではなく、「年長者が歩んだ道のりを理解したい」という立場から質問するようアドバイスをくれた。彼は、このときにはすでに、一個人の政党傾向とその人の歩んだ人生には大きな関係があるということを意識しており、そのことをわたしに示そうとしてくれたのかもしれない。

わたしの両親は国民党に対して強い共感を抱いていたが、これは、彼らが華僑として育ったことに起因しているだろう。けれども、かれらの国民党支持を強固にしていった原因は、その後メディアが彼らの民進党に対する嫌悪感を増幅し、自分たちは台湾人になれないのだというある種の疎外感を、彼らが抱いてしまったためではないかと、わたしは思っている。これは、わたしの両親だけの感覚ではなく、わたしや妹も同様だ。たとえば、メディアが絶え間なく放送する、民進党の政治家が外省人を敵視して言うフレーズ「外省のブタどもは去れ！」とか、「台湾アイデンティティのないものは、太平洋には蓋がないんだから、泳いで帰れ」など。わたしたちは外省人でないので、これらのフレーズが直接わたしたちを指しているのではないと分かってはいたが、それでも自分が言われていると感じていた。なぜなら、自分たちと、そうした発言をする人たちとは、同じグループではないと感じていたからで、わたしたちは彼らによって選別された「異分子」だった。

一方、也慎の家は客家だった。わたしの両親がテレビを観ていると、閩南（びんなん）グループの人が外省グループの人を罵倒する姿がしょっちゅう出てくるという話になったとき、彼らもこうした行為には同意できないと言った。しかし、也慎の家庭が歩んできた過去は、わたしの家とは異なっていた。彼らは、耕すものが田を所有するという環境にあったのに、当時の国民党の行った土地政策による変化によって、一家の財産を一夜にして国民党に剝奪されたように感じていた。また、戒厳令が敷かれていたころは、親戚や友人が理由もわからぬまま警察に連れていかれ、ひどい場合は殺されるという出来事も耳にしていた。こうした出来事から、彼らは国民党を拒絶するようになった。しかしそういうことは、わたしの家族にとっては、まったく耳にしたことのない歴史だった。

育った環境のほか、自分自身の経験も「国民党・民進党」のアイデンティティに影響する。両家族の文化的なレベルの違いも、互いの理解や意思疎通に影響していた。特に、国民党が推し進めた国語運動の影響は極めて大きかった。わたしの両親は国民党の歴史観による教育を受け、国語推進政策の影響を受けた。彼らに求められた立場は、知識階級や政治・ビジネス界の著名人は国語を話す、国語を正しく話せる人は比較的「レベルが高い」、という意識を持つことだった。特に、一方は台湾大学を卒業し、一方は師範大学を卒業した彼らにとって、こうした優越感はなおさらだったろう。也慎の両親は自分たちの学歴について、家庭環境の関係で、大学に行くことができなかったと言っていた。わたしの両親はきっと、彼らの語る歴史を信用できず、特に国民党が戒厳令下で行ったことに関しては決して信じないに違いない。

この二つの家庭の背景・経験、そしてお互いの影響は、どれほど普遍性があるだろうか。多くの場合「外省＝青」「本省＝緑」と捉えられる二つの立場の縮図なのだろうか。わたしは、もちろん百パーセントそうだとは言えないが、彼らが表したものは、わたしたちが考えがちな「青と緑」という二つのレッテルのステレオタイプと確かに一致するのだ。

両家族の対話を通して、真の信頼関係を築くことはできなかったが、多少なりとも互いを理解することはできたと思う。たとえば、也慎の両親は、疎外感から民進党を支持できないというわたしの両親を理解してくれた。わたしの両親も、也慎の両親が苦しい経験によって国民党を嫌うことを、少しは理解した。本当の衝突は、二〇〇八年の選挙が終わったあとに起こった。

二〇〇八年、馬英九（マー・インジウ）が総統に当選した。也慎の両親はこの結果にひどく落胆し、「馬英九が勝ったのは、女性票のおかげだ」と馬英九をこきおろした。この言葉に、「わたしたち女をバカだと言っているの？」と、わたしの母は怒りをあらわにした。也慎の両親も、わたしの母の言葉を聞いて怒りだした。結局、両家族は喧嘩別れになった。わたしの母は、「青と緑」の対話を試みたことに、かけらも意義がないとすら思っていた。

このことに、わたしはひどく気落ちし、一時は、自分が間違っていたのだと思った。今ふり返ってみると、比較的正面からこの経験を受け止めることができる。わたしは両家族のいかなる考え方も変えることはできなかったが、すでに別の面で変化は生まれている。わたしは、自分自身が変わったということに気が付いたのだ。これまでのわたしは、生まれ育った家庭の影響を受け、当然のことながら、家庭の立場に頼って政治的選択をしていたけれど、異なる立場の人がいる、ということを理解できるようになった。これまで、家庭の価値観に縛られていたわたしには、余裕が生まれはじめた。わたしは、独立して政治というものを思考できる一個人になったのだ。

個人の政治的立場を問うことは、その人の人生すべてを問うことと同じだ

けれども当時、わたしはまだ、こうした出来事のすべてをそんなに楽観的にとらえることができなかった。わたしの卒業制作が口頭試験の試験官に問い詰められたからだ。

口頭試験の試験官には、前述の三巨頭に、新進気鋭の社会学者の蔡慶同（ツァイ・チントン）先生が加わった。張照堂先生と関暁栄先生からは、指弾されているような感じを受けたが、それは二人がわたしの作品が意義を失っていると考えていたからだった。もともと相互理解を促そうというのではなかっ

たのか、どうして結局喧嘩で終わっているのだ、と。

関先生は、わたしの政治的知識があまりに少なく、エスニック・グループについての理解はあまりにも型通りで、そのため本来であれば友好的な意思疎通が図れたはずの企画を、当時の社会が持っていた喧嘩腰な雰囲気をコピーしただけになってしまったと指摘した。彼らは皆、わたしがやったことに批判的で、指導教員である井迎瑞先生も、助けてくれなかった。それどころか、容易に衝突を引き起こすような文脈を、作品内に持ち込むのを止めなかったことを悔やんでいる、そのためにこんな結果になった、とすら言った。彼の経験によれば、ああした内容は確実に衝突と誤解を招くらしい。

しかし、当時のわたしはひどく不満だった。先生たちの言うことはみな、後になって分かることだ。もしわたしが、先生たちの言うような知識のある人間なら、すべてに答えを持っていて、こんなことをする必要はなかったのだと、わたしは反論した。わたしがひどく気落ちしたとき、蔡慶同先生がわたしを慰めて言った。「個人の政治的立場を問うことは、その人の人生すべてを問うことと同じだ。親世代にとって、落ち着いて政治的議論をすることが、これほどまでに難しいのは、ひょっとしたらそのことが理由なのかもしれないね」と。この言葉はわたしの心に深く刻み込まれ、大きな影響を及ぼした。蔡慶同先生は社会学者で、作品を異なる角度から見てくれた。そして、わたしのぶつかったものは、とても大きく難しい問題であり、表面上は政治的論争に見えるが、実際には両家族の人生経験のぶつかり合いであることを示してくれた。口頭試験での蔡慶同先生の言葉は、わたしにとってわずかな助け舟であった。

ほかの学生の口頭試験を見ていると、皆、先生に反論することをひどく恐れているようだった。わたしが先生に口答えしたのは、彼らの話にどうしても納得がいかなくて、どうして彼らがあんな風に批評するのか理解できなかったからだ。わたしは涙を我慢できなかった。わたしはすぐに泣いてしまいがちだったが、毎回涙をこらえられない自分が嫌だった。わたしが泣くと皆が態度を軟化させて、傷つけないようにと、発言もだんだんと用心深くなることが、明白だったからだ。まるで泣くことは一種の手段だと思われているようだったが、涙で助けてもらおうなどという気はまったくなかった。

口頭試験が終わり、仲の良い友人が半分冗談で言った。「ねえ、どうして泣いているの？　泣くタイミングが良すぎ。関先生なんて、刀を抜きそうなところだったのに、あなたが泣いているのを見て、すぐにひっこめたわ」と。まるでわたしの涙が策略であるかのような言い方だった。わたしはただ、先生たちの意見が一種の権威による圧迫のように感じられて、くやしくて、それに言いたいことがうまく言葉にできなくて、我慢できずに泣いてしまっただけなのだ。

先生たちの意見を聞き入れながらも、彼らがある種の権威に変化したように感じられ、すべてを額面通りに受け入れることはできなかった。先生の知識と経験には遠く及ばないことはわかっていた。けれども、わたしの心の声と自分の作品についての理解が、そうした権威がわたしに告げたことと違っていたため、はっきり説明したいと思った。権威によってわたしを定義し、本人をさしおいて語ることを、気安く受け入れることはできなかった。わたしは泣いたけれども、それは失敗したと思ったからではなく、実際のところは意思疎通ができなかった挫折感がほとんどなのだった。

　こうして大学院を卒業し、先生のいない社会にたどり着いた。社会では、権威と自分の関係や、自分の考えを表明して理解してもらうことができるのかといった問題に直面することになるだろう。わたしは依然として、理解し合おうとするとき、すぐに涙が出てしまう。けれどそうしたときには、内心と外の世界との微妙なズレを超えていくことに挑戦し、どうやって自分の感覚をはっきりと説明し、理解してもらえるのか、見つけ出そうとしているのだ。

青春・政治三部作 その一――ドキュメンタリー映画『鏡よ、鏡』

本作は、傅榆(フー・ユー)の台南芸術大学音像記録研究科の卒業制作であり、井迎瑞(ジン・インルイ)先生の指導による約六五分間の作品である。修士修了作品であるため、映像作品に加え、詳細な文字によるレポート「研究方法としてのドキュメンタリー制作:『鏡よ、鏡』を例に」が残されている。傅榆は大学時代に政治大学ラジオテレビ学科の郭力昕(グオ・リーシン)先生の影響を強く受けるとともに、同氏の「政治に向き合わない台湾のドキュメンタリー文化」という文章を読み、「純政治」ドキュメンタリーを撮るという考えを持つようになった。彼女は当時「政治的傾向が異なる人は、完全に相反し対立する概念を除けば、核心となる考え方は、実はとても良く似ているのかもしれない」と考えており、異なる政治的立場の者が有効な「対話」を進めることができるかどうか、実験を試みた。また、彼女は政治的立場の形成には家庭的な背景が深く関係しているという仮説を立てた。そして、異なる立場の人に対し、「自分とは異なる理由の形成過程を見る」ことが、対立を解消する一助になるかを確認することとした。

上述の動機により、傅榆は国民党支持の立場に立つ自身の両親と、民進党支持の立場に立つ友人・曽也慎(ゾン・イエシェン)の両親を対話実験の対象に選んだ。実験方法は、両家族に成長の背景を回顧させ、政治的立場を表明させたお互いの映像を、双方の家族に見せ、異なる立場からの意見を表明してもらう方法であった。実験は三段階に分かれている。第一段階は目標を定めること。双方の家族を別々に訪問し、撮影したフィルムを編集する。第二段階は双方が互いの撮影フィルムを鑑賞し、お互いに意見を言う。第三段階は、これまでの結果が露呈する。編集後の全体の映像作品を両者に見せる。撮影期間はちょうど二〇〇八年の総統選挙の時期と重なっており、傅楡が設定した話題は双方の政治的立場、そして民進党の現状に対する両家族の見方と、両党の総統候補に対する評価を強める結果になった。台北市長としての陳水扁（チェン・シュイビエン）の功罪、民進党が以前、立法院でマイクを奪ったことの合理性、誰がエスニック・グループ問題に挑むのか、民進党の執政は経済の低迷を招くか、どのメディアが比較的中国寄りか、台湾語教育などの議題に対する見方など、異なる立場に基づく視野の距離は自然と生まれてくる。

作品の中で監督は、コマ撮り人形アニメにわきぜりふの字幕を合わせたシーンを挿入し、観衆に向かって、自身が以前に政治的議論をした二つの経験を語っている。一つは、大学時代に友人と政治的討論になったことだ。彼女は深く考えもせず、家でいつも耳にしている言い方で、陳水扁は何もしてないとはっきり言ってしまい、友人と喧嘩になり、最後は別の友人により引き離されるという話だ。二つ目は、二〇〇四年の総統選挙で、襲撃事件により選挙が公平でなかったという議論が起こった際、学科の先輩がBBS上に文章を発表し、街頭で抗議する人々を風刺したことだ。傅楡はすぐに反論を発表したが、即座に、軽蔑した口調で、先輩の反駁を受けることになる。この件は、のちに別の先輩が間に入り幕を引くが、彼女は青側の人間だというレッテルを貼られることとなった。こうしたことを通じて、彼女は公の場で政治的議論をしなくなるとともに、政治的立場が異なる者同士の会話は難しいと考えるようになった。

国民党か民進党かという二つの立場の対比のほか、傅楡は本作で、自身のアイデンティティを明らかにすることと、ドキュメンタリーの倫理に対する再考を行っている。選挙が近づくにつれ、なぜ中立になれないのか、という自分自身への懐疑を、彼女は本作の中に文字で表している。「わたしはいつも自分に問いかけている。中立でないわたしが、本当に公平にこの作品を撮れるだろうか。けれども、もしわたしが本当に中立の立場であったら、この作品を撮ろうという動機を持ったであろうか」と。——対話による実験を成就させようという動機は、立場が異なるからこそ生まれたものの、依然として元の政治的立場やアイデンティティに影響されてしまう。こうした対話は果たして意義があるのだろうか。

一方、問いかけ、明らかにし、整理していくことを通して、傅楡もまた、自分の政治的立場を形成する思考ロジックを見つめなおしており、「家庭の影響—外省人—国民党支持」という思考ロジックは、彼女の「エスニック・グループとしての境遇」の中でほころびはじめている。彼女の両親は、「マレーシア華僑」・「インドネシア華僑」というそれぞれの境遇を、開始後すぐ明快に説明しているが、のちの討論の中では、自身を外省人というエスニック・

グループに投影する現象が見られた。民進党の政治家が外省人に対して非友好的な発言をするのを耳にした傅楡の両親は、自分たちが罵倒されたような感覚に陥り、怒りを募らせている。こうした感情移入には、外来者という自覚（台湾人ではない、台湾語を話せない）や華僑が大中国のイメージや中華民国政権に抱く理想、そして留学経験により強化された華人アイデンティティが込められているだろう。彼女の両親が示す外省人への共感は、理性的な認識ではなく、無意識の反応であることに気づいたとき、傅楡は、自分自身が「外省人」ではないと認識する。そして、これにより傅楡の政治的アイデンティティと立場は、より多くの議論と自由を手にすることになる。

興味深いことは、総統選挙後まで話が進み、双方の議論が中国との統一か独立かに至ったとき、立場が逆転するかのような動きが現れたことだ。曽（ソン）家の両親は、もし台湾が独立する方法がまったくなく、武力による抵抗もできないのなら、条件付きの統一も仕方ないと考えていた。一方、傅楡の両親は、中国にアイデンティティを感じているものの、政治体制については、中国共産党との統一を支持しておらず（国民党が中華民国を放棄し中国と合併することを認めておらず）、傅楡は「二つの家族が求めているものは本当に違うものなの？」という錯覚を起こさざるを得なかった。このように、それぞれの主張の差異が不明確でありながら、互いに対立する現象によって、彼女は、「はっきりと語り合うことをはじめなければ、より多くの、本来目を向けるべき政治問題が、永遠に見えなくなってしまうのではないか」と意識するようになった。

また、対話が順調に幕を閉じようとしていとき、状況が一変した。傅榆は、容易に誤解を招いてしまう、先に曽家の両親に見せていなかったシーンを、九〇分間に編集した正式版に入れていた。その中では、曽家の母親が馬英九の得票は女性票によるものだと批評し、傅家の母親がこれに反論していた。曽家の母はこれを見て、傅家の母親は人格を攻撃しているとひどく腹を立てた。傅榆は何とか誤解を解いて曽家の母親の怒りを鎮め、自身の母親のこうした発言が他者を傷つける可能性があることを認めた。しかし、傅榆の母親もこれを見た後、自分が侮辱を受けたと感じて腹を立て、それ以上の撮影は受けようとはせず、「正直に言って、あなたのやっていることは、まったく役に立たないと思う」と言うほどであった。

対話は失敗に終わったかのように見える。しかし、傅榆は口頭試験で、ある先生(蔡慶同)から言われた「政治傾向と感情は切っても切り離せないものだ。ある人の政治的傾向を訊ねることは、その人の人生すべてについて訊ねるようなものだ」という言葉を、この経験から得た一つの解釈とした。台湾において、理性的な政治討論が困難な理由は、こうしたところにあるのかもしれない。

第四章　『青と緑の対話実験室』

ホグワーツ魔法魔術学校

『鏡よ、鏡』を撮り終えた後、わたしは大学での映画上映会に出かけた。そこでは、この映画のテーマにとても興味をもった様子の学生もいたので、わたしは彼らのデータをメモした。映画を上映した際、観客から、このテーマで続けて映画を撮ってほしいという提案も時にはあった。『鏡よ、鏡』で伝えたのは、一世代上の人々による「国民党・民進党〔原文・藍緑〕」問題についての対話だったので、わたし自身もすでに結論が出ていたし、一世代上の政治志向は、人生の履歴とあまりにも密接に関連していて、少しも揺るがないように見えた。「それならば、一世代上の人々はこの際相手にせずに、今の若者たちをしっかり観察した方がよいのではないだろうか？　わたしよりも若い人たちも、もうすぐ投票権を手にするが、彼らは何を思っているのだろう？　若者たちの間にも、やはり鮮明な国民党・民進党の区別があるのだろうか？」といったことに、わたしは関心をもっていた。観客のフィードバックにもつき動かされて、わたしは『青と緑の対話実験室』を撮りたいと思い、異なる政治志向をもつ若者たちを探して、定期的に同じ空間に集めて、お互いに政治の見方について話し合ってもらうことにした。

わたしはまず、政治志向が異なる首投族[1]をしぼり込んだ。彼らも「青と緑」に対して自分なりの感覚を持とうとしていたのだ。

大学院を卒業して間もなく、わたしは中州技術学院で一年生のフィールドワークの授業を担当し、学生たちと交流した。一年生たちの中で、政治に関心がある者は少なかったが、わたしはアンケートをとり、家庭のバックグラウンドや国民党・民進党に関する見方を把握しようとした。わたしは彼らにこう言った。これもフィールドワークの一種で、何かを撮影しようとする前に、インタビューでもアンケートでもいいから、必ず先に対象となるものを理解するべきだと。わたしはアンケートの内容と形式を指示しながら、一年生たちのことを理解し、アンケートの中から撮影対象となりうる者を探した。以前の座談会で出会った若者、およそ八名をこれに加え、こうしてわたしは『青と緑の対話実験室』の第一回目の対話をスタートさせた。

対話が第三回まで進んだところで、わたしは気づいた。これではダメだ。すべての討論が堂々めぐりになってしまっている。参加者はみな若く、国民党・民進党に対して大雑把な印象しかもっていない。しかも、それらも親に影響されたものらしく、自分の思索や認識から来るものではなかったからだ。もちろん、すべての人たちが親に影響されたわけではない。わたしがまず出会った二人の学生、Sample（盛莆（ションプー））と裕平（ユーピン）の場合、親とは相反する立場だった。裕平が親と異なる立場だったのは、幼い頃の友達がみな外省人の家庭で、裕平はいつもその友達と一緒に遊んでいて、家が好きではなかったためだ。国民党寄りの価値観をもっていたが、自身の意見は限られたもので、ただ単に好きか嫌いかだけだった。Sampleは、社会的テーマに関心があり、かつては国光石化[2]や反原発などの抗議活動の現場にいたこともあるが、国民党・民進党の間の「しこり」については、今まで深く考えたことがなかった。何度も討論を重ねるにつれて、Sampleはようやく国民党・民進党の矛盾の問題点が「過去の歴史に対する解釈」から来るものだということに気づいた。しかし、彼女は過去の台湾の歴史について、そして何が移行期正義[3]であるのか、深く理解してはいなかった。もう一人、民進党寄りの阿彭（アーポン）は、過去の歴史に関する知識が限定的で、歴史がなぜ重要なのかを他の人にどう説明したらよいかわからなかった。もし、みんなが国民党・民進党について表面的な区別をするに留まり、自分が支持あるいは反対する理由を深く考えなかったとしたら、討論の際、答えのない堂々めぐりに陥ってしまうだろう。

対話の深度を増すために、第三回目の討論で、わたしはメンバーの一人である岱穎（ダイ・イン）の母親のインタビューを上映した。岱穎の母方の祖父は、戒厳令下に何度も国家の情報機関や治安組織により逮捕されていて、そのせいで岱穎の母親はなかなか身を落着かせる場所がなく、教育を受けたいと思ったときにも政治犯の家庭というバックグラウンドにより、その機会を失った。わたしはみんなに、このような、自身の経験にもとづく白色テロが人に与える影響について考えてほしかった。

インタビューを見終わった後、この物語にこころ動かされた人は、この時期の過去が非常に重

1　**首投族**　初めて選挙権を得て一票を投じる若者たち。

2　**国光石化**　台湾の石油化学メーカー国光石油化学による新プラント建設問題を指す。

3　**移行期正義**　［原文では轉型正義］　歴史的不正義の見直し。過去の大規模な人権侵害と、その結果に対して折り合いをつける社会の試み。

要で、台湾に対する影響も甚大なので、以前は知る機会のなかった、もっと多くの歴史を真摯に理解したいと語った。しかし、それとは考え方がはっきり異なる人々もいた。「これは過去のことではないか？　なぜ討論する必要があるのか？　現在の国民党に何ができるというのか？」と。討論が、ずっとこの段階で留まっていては、どちら側も、相手を説得し、さらに進んで初歩的なコンセンサスに発展させていくことができず、対話の効果が限定的なものになってしまう。わたしはどうすればよいのかわからなかった。

当時、わたしはＣＮＥＸ[†]と協力していたので、撮影チームには外部から来た監督がいて、監修を行ってくれていた。それと同時に、わたしの最初の師匠である賀照緹（ホー・ジャオティー）[4]監督も、普段から台湾の公民社会に関心をもっていた。賀照緹監督はわたしに、熱心に社会運動に参加している若者を探してみては、と言ってくれた。彼らはきっと、ある程度の歴史の本や史料を読んでおり、自分の思想と考え方をもっているだろうから、と。

この提案は、わたしにとって非常に難しいものだった。なぜなら、当時のわたしは社会運動に対してなおも恐れがあったからだ。

二〇〇八年、馬英九（マー・インジウ）が総統に選ばれ、対岸［中国］との政府間交流が加速しはじめた。その年の末に、中国の海峡両岸関係協会会長の陳雲林（チェン・ユンリン）[5]が台湾を訪問したが、行く先々で民衆の抗議活動に遭い、警察と民衆との衝突が発生した。大学の教授たちや社会運動家、学生たちは、警察に抗議するためのやり方として、座り込みの抗議とデモを行った。これがいわゆる「野いちご運動」[6]である。野いちご運動が起こったとき、わたしは『鏡よ、鏡』を撮り終えたところで、政治観念がやや揺れ動いており、両親とは少し異なる考え方になっていたし、自分とまったく同じ立場とは言えない多くの人々の存在を知った。わたしはすでに何度か街頭に出て、反原発や楽生[7]の大規模デモに表面的には参加しはじめていたが、本当の意味で運動の渦中に身を投じていたわけでなかった。野いちご運動の現場に行っても、自分が彼らと同じ立場に立つことができるとは思わず、わたしの最も深層にある核心部分や、わたしの血はそれほどすぐには変わらなかったのだ。わたしはいつも知識の不足を感じていた。自ら運動に飛び込むことを保留していたのだ。

野いちご運動のとき、わたしは抗議者たちが怒りの気持ちで、皮肉をこめて意見しているのを目にした。彼らは独りよがりの正義を振りかざしていて、わたしには、彼らの主張と感情とが自分とはかけ離れたものに感じた。わたしは、自分が正義感のない人間だとは思わないし、是非や

【原注】† CNEX 民間のNPO法人で、両岸三地〔台湾・中国・香港〕のドキュメンタリー映画を熱愛する人々によって組織され、目下、北京国際交流協会、台湾蔣見美教授文教基金会、香港CNEX基金会が共同で推進している。

4 **賀照緹** 台湾のドキュメンタリー映画監督。作品に『ここからの未来〔原題・未來無恙〕』などがあり、ひまわり運動を記録する「太陽花運動映像記録プロジェクト」では、『太陽花（ひまわり）占拠〔原題・太陽、不遠〕』の製作総指揮を務めた。

5 **陳雲林** 一九四一年生まれ。中国、遼寧省出身の著名な政治家。中国国務院台湾事務弁公室主任、海峡両岸関係協会会長を歴任。

6 **野いちご運動** 二〇〇八年一一月から二ケ月にわたり、馬英九政権に対し対中政策や集会規制などに抗議した学生たちの反対運動。「野いちご」は、若者をプレッシャーに弱いいちごのようだとする外部の評価を自嘲的に使ったとも言われている。

7 **楽生** 二〇〇七年に起こった、台湾楽生療養院（ハンセン病療養院）取り壊し反対運動。

正誤の判断ができると自負しているが、現場では、とけ込みようのないぎこちなさを感じた。学生の座り込み以外に、当時の民進党主席・蔡英文（ツァイ・インウェン）も他の場所で抗議活動を指揮していて、わたしもそこへ行ってみたが、そこではまた別のありきたりな印象を受けた。民進党の抗議では、みんな台湾語で話しているようだった。幼い頃にのけ者にされた記憶があるので、台湾語を話す集団には本能的に恐れがあり、知らず知らずのうちに台湾語と排斥とをイコールに考えていた。わたしには、自分が彼らの仲間だとはどうしても思えなかったのだ。

　このような心理的制約の中、わたしは、社会運動に参加している学生たちに、討論に加わるよう、どのように誘ったらよいのかわからなかった。学生たちがわたしのことを嫌って、撮影を許可してくれないのではないかと心配だったのだ。しかし、ラッキーなことに、ちょうどその頃、わたしは蔡崇隆（ツァイ・チョンロン）[8]先生のフェイスブックに陳為廷（チェン・ウェイティン）の文章が転載されているのを見つけた。陳為廷と数人の仲間は、一緒に街へ行き、中国ジャスミン革命[9]に声援を送っていた。蔡崇隆先生はこれにコメントしていたのだが、要約すると、今の若者がとてもうらやましい、こんなに早くから、このような方法で政治に触れる事ができるのだから、という内容だった。わたしは興味津々で、芋づる式に、陳為廷のフェイスブックをクリックしてみた。そして、この人は、社会運動に熱心だけれど、非常に開放的であることに気づいた。彼のフェイスブックには、「わたしは陳為廷です。わたしは台湾独立を主張します」と書いてあった。立場は鮮明で台湾本土意識[10]ももっているが、一方で、中国ジャスミン革命にも関心をもっていた。それは、当時わたしが抱いていたステレオタイプな印象の中では珍しかった——たとえ現在でも、台湾独立を主張する、台湾本土意識が強い人々がなおもこう言っているのをよく耳にする。「中国で発生したことは外国のことだ。天安門事件記念活動もそうだが、台湾人が積極的に行う必要はない」と。わたしは、陳為廷が民族主義先行型の人間ではないと推測していた。彼は台湾独立派だが、少なくとも中国を理解しようとし、中国と対話することも排除しない。彼こそわたしが探していた人物だった。

こうして、わたしは勇気を振りしぼって、彼に以下のメッセージを送った。「自分は社会運動に参加している若者を探して対話をしてもらいたいと願っていたが、あなたのような知り合いはいなかった」と説明したのだ。その結果、陳為廷は思いがけず友好的で、すぐに承知してくれた。さらに、同じような友達を、わたしにたくさん紹介してくれると言った。わたしはほっとした。想像していたほど怖くはない気がしたからだ。

当時、陳為廷は清華大学の人文社会学科の学生だった。わたしは彼らの寮「實齋」に行き、ロビーで彼と会ったのだが、そこでは人々がたえず行きかい、学生たちがおしゃべりをしたり学業について話し合ったりしていた。わたしはそんな雰囲気を心底うらやましく思った。陳為廷も大学にはとても満足しているようで、「『ハリー・ポッター』のホグワーツ［魔法魔術学校］に似ていると思わない？　みんなで同じ授業を受けて、同じ寮に住んで、授業のないときも共同部屋で

8　**蔡崇隆**　一九六四年生まれ。台湾、苗栗県出身の記者、映画監督、プロデューサー、大学教員。

9　**中国ジャスミン革命**　アラブ諸国を席巻した民主化運動「ジャスミン革命」の流れを中国に持ちこみ、民主化を実現しようとして二〇一一年二月に計画されたが、未遂に終わった。

10　**台湾本土意識**　台湾独自の文化・社会・経済、国民性と主体性の重要性を強調するもの。

一緒に過ごしているからね」と言った。

当時は二〇一一年で、ちょうど中華民国建国百周年にあたっていて、同時に清華大学も建校百周年であり、馬英九と王力宏（ワン・リーホン）[11]が大学で座談会を開くことになっていた。陳為廷は仲間たちと「数日後、馬英九が来たら、抗議しような！」と話し、とても自然に、ロビーで友達を巻き込んでいた。私はうらやましく思いつつも、一方では、彼らがみんな面白く、おしゃべりにもユーモアがあることに注目していた。陳為廷を知ってから、わたしは本当の意味で社会運動への好奇心を抱いたのだった。

そのとき、わたしはただ、『青と緑の対話実験室』を撮りたいとだけ思っていたのだが、後から思い返してみると、あれが『私たちの青春、台湾』を撮ったきっかけだったのかもしれない。

友好的な一声、「やあ！」

『鏡よ、鏡』の中で、陳為廷と特徴の似ている人物――立場がはっきりしていて、社会運動に熱心で、自分とは異なる考えを受け入れられる者――がいた。政治的志向は完全に反対の側の、上官良治（シャングワン・リアンジー）だ。彼は映画の中で、野いちご運動のとき、少し運動傷害を受けたと言っている。

そのとき、「運動傷害」という言葉を初めて聞いたが、この言葉は、社会運動の参加者が、彼らが活動する中で受けた心理的な傷［トラウマ］を指す際に用いられていて、この傷は後に喪失感や無気力の状態をしばしば引き起こした。

上官の運動傷害は、主に国と民族に対するアイデンティティから来ていた。上官は外省人家庭の出身で、非常に開放的な考えをもっていたが、少し状況を把握できていないときがあった。上官は、過去に龍応台基金(ロン・インタイ)[12]主催の活動に参加したことがあり、各国で発生していた学生運動にも共鳴していた。

わたし個人は、「華人」社会を標榜する思想サロンは、各国の社会運動を紹介して、みんなの国際的視野を育もうとしていると思っている。しかし、おかしなことに、彼らは世界各国の抵抗運動は受け入れるのに、台湾で同様の事件が起こると、急に低い評価に偏ってしまう。それはなぜか。なぜ海外での抗争は正しいのに、台湾では暴動とされてしまうのか。知識人を自称する者たちは、外部の反抗意識につられながらも、傲慢な態度で自分の国を見ている。これは他の多くの活動にも言えることだと思う。もしかすると、彼らは台湾と他の国の社会運動を、実はどちらも同じような心境で見ているが、心理的な檻を踏み越えられないだけなのかもしれない。

しかし、上官は彼らとは少し違っていた。上官は各国の社会運動を観察した後、好奇心を抱きはじめたのだ、台湾は何をすべきかと。そのとき、野いちご運動が始まり、彼は身を投じた。こ

11 **王力宏** 一九七六年生まれ。アメリカ、ニューヨーク州出身の華人。台湾で活動する著名な歌手、俳優。

12 **龍応台基金** 龍応台は一九五二年生まれ、台湾、高雄出身の作家、評論家。元台湾行政院文化部長。一九八五年、『中国時報』に掲載された評論が戒厳令下の台湾社会で大きな反響を呼び、その後出版された評論集『野火集』はベストセラーになった。著書に『台湾海峡一九四九』、『父を見送る——家族、人生、台湾』などがある。龍応台文化基金会は、国境を越える言論活動や青少年の文化交流を推進している。

れは高く評価すべき彼の一面である。上官はわたしとは違った。わたしはそのとき参加できなかったし、あえて参加しなかった。上官もまた当時の国民党陣営の参加者たちのように、自身を「小藍苺」[13]と名乗り、公平・正義を主張し、理念・思想があると自負して、その他の野いちご運動参加者に民進党陣営のレッテルをはり、自分は彼らとは違うと強調することはなかった。上官は、そのような既定のレッテルなしに、お試しで、手当たり次第に運動の中に入って行った。しかし、いざ運動に参加してみると、自分の価値観とそれほど近くないことに気づいたようだった。

上官は映画の中でこう言っている。社会運動に参加する人は、その多くが独立強硬派で、議論するのに疲れる、と。上官のような開放的な性格の人でも、統一・独立問題と聞くと討論を続けるのが難しいと感じるというのは想定外だった。やはり、上官の心の中にも、この種のレッテルばりや隔たりがあるのかと不思議に感じた。それ以外に、陳雲林が台湾に来た後、ある人が陳雲林のお面をつけて国歌を歌い、国旗掲揚のときに銅鑼を鳴らそうと提案したが、上官は非常に気にして、これは国家、国旗、国歌に対する不敬だと考えた。わたしは心の中で、「わあ! 上官も意外にこだわりがあるのだ」と思わざるを得なかった。

しかし、このこだわりは確かに一貫して上官の中にしみついていた。当時、わたしたちが開いた『青と緑の対話実験室』のシンポジウムで、わたしが集めた撮影対象の人たち以外に、上官たちも積極的に自分の知り合いを各種討論の場に呼んでいた。しかし、その多くはその場に入るなり国民党を罵倒し、口々に過去の歴史について語りはじめた。誰かが反論すると、国民党を罵倒した人たちは、それは間違っていると指摘した。これは、わたしが大学時代に経験したことと非常に似ていた。

上官も、これらの言葉がひどく受け入れがたいものだと気づいていたし、わたしですら腹が立ちそうなときがあった。そのうちの一人で、上官が連れてきた人が独りよがりの正義をふりかざし、異なる立場の人を一貫して嘲り批判するタイプだった。わたしは他人を攻撃し続けるという、その人のやり方が許せなかった。正しければ、侮辱的な態度で他人を批判しても全然かまわないという感じだったからだ。わたしは前に直接申し出たことがある。そういうやり方はやめてくれないか、と。こんな討論の仕方では、良質な意思疎通など望めない。

このような情況は、映画『青と緑の対話実験室』のシンポジウムだけでなく、実際に国民党と民進党、統一と独立について討論する各場面に共通する現象だった。上官はここから理想を実践する可能性を見出せず、徐々に社会運動からフェードアウトしていったのかもしれない。上官がその後に参加した組織は、「Design For Change」という名で、教育面での改革を推進し、エネルギーに満ち溢れていて、政府を批判するのではなく、子供の教育から世界を変えていくというものだった。

これらの社会運動に参加していた若者の中で、陳為廷ならわりと受け入れられると、わたしは感じはじめていた。このときわたしは、社会運動に恐れを抱く状態から、社会運動家たちが採り

13 **小藍莓** 小さいブルーベーリーの意味だが、藍は国民党を指しており、国民党を支持する若者という意味をもつ。

入れてきたやり方を受け入れるようになっていて、そのチャレンジ精神のある、政治の核心的問題を分析しようとする姿勢でもって、社会を変えていこうという理想に、共感しはじめていた。わたしが陳為廷と彼がしようとすることに惹きつけられたのは、あるいはこういうことがあったからかもしれない。

もう一つ、陳為廷に惹きつけられた理由は、彼が非常に行動力があったからだ。わたしが最初に陳為廷の社会運動のやり方を傍らで記録したのは、馬英九と王力宏による清華大学での対談だった。この機会に乗じて、陳為廷とその仲間たちは山のように多くの問題を提起しようとしていた。抗議ということでいえば、この作戦はあまりよくなかった。論点が多すぎて、まとめにくかったからだ。しかし陳為廷らは一生懸命、宣伝ビラいっぱいに論点を書き、スローガンまで産み出した。「弱者にも夢見る権利を」というのが、それだ。しかし、衝突が無かったため、メディアの報道は少なかった。わたしが以前参加したことがある陳情や抗議はデモの類で、大きな声でスローガンを叫び、厳しい表情で訴えなければいけなかった。しかし、陳為廷主導の抗議活動は非常に威勢のいい、楽しいものだった。彼はこう口火を切った。「今日は平和な抗議です。だからまず、みんなで「やあ！」と挨拶しましょう」。わたしはこんな抗議のしかたを知らなかった。陳為廷はより多くの参加者を求めていたし、ホールの外に並んで対談を聞いていた人の多くが「馬英九支持者」だったため、彼らの反感を買いたくなかったので、このような友好的な方法で注意を引いたのだ。これにより、本来社会運動というのは、わたしの考えていたようなものではないのだ、と思うようになり、怖くなくなって、自分に限界を作らないようになった。

『青と緑の対話実験室』の最初の計画では、陳為廷が主役ではなく、他の人物も個別に取材し、すでに二、三回は撮影していた。陳為廷はそれより少し多かったが、比重はそれほど違わなかった。対話の際、陳為廷の印象が比較的強かったのは、立て板に水のような語り口で、つねに滔々と話していたからだろう。わたしは陳為廷のそういうパフォーマンスには反感をもたなかった。なぜなら、いつも彼の話には道理があると思っていたからだ。でも、「ずっとあんたにしゃべらせておけばいいんだろう！」と思った人もいるだろう。こういう気持ちももっともだ。もしずっと一人だけが意見し続けて、他の人が返事をするチャンスを与えなかったら、その意見がすべて正しかったとしても、どうしても独りよがりという感じがして、意思疎通ができなくなるからだ。

しかし、陳為廷の優れた点は、自分の間違いを正そうとすることだ。批判されると、彼の態度は改善される。最後の対話のとき、陳為廷は移行期正義について長いスピーチをし、それには誰もが納得した。彼は海外の判例を使い、ドイツと南アフリカの状況と比較して、台湾の違いを説明したのだ――台湾は戒厳令解除の後、すぐに政党が交代しなかったため、国民党は自身の罪を清算することができず、その後の真の政党交代により、国民党は最大野党となったが、移行期正義に関することはすべて推進しにくくなった。ひとたび行動を起こせば、すぐさま政治闘争の帽子を被されてしまうからだ。この話をしたとき、陳為廷は比較的中立の立場から移行期正義の難点、つまりそれがなぜ成し得ないのかを語り、国民党が間違っているとただ批判するだけではなかったので、みんなも相対的に受け入れやすかったのだろう。それ以外に、映画の中では中国人学生の孫宇晨（スン・ユーチェン）[14]がネット出演して助太刀し、台湾の移行期正義はまだうまくいっておらず、台湾の民主化の過程をよく整理しないままでは、すぐに中国のためのよいモデルにはなり得ないと語った。

台湾社会の人々が陳為廷を知ったのは、二〇一二年の「反メディア独占運動」[15]が最初だろう。当時は、旺旺中時グループが中嘉を買収合併したことで、メディアのモンスター〔原文・巨獣〕に反対する社会的抗議が引き起こされた。陳為廷ら多くの学生たちはみな参加し、陳為廷は旺中グループの報道に反論したため、メディアの紙面に登場したのだ。でも実際には「反メディア独占」の前から、陳為廷はすでに数多くの社会運動に参加していた。『青と緑の対話実験室』の時期、彼はとても真剣に楊長鎮(ヤン・チャンジェン)[16]の苗栗での立法委員選挙に加わっていた。苗栗は陳為廷の故郷で、彼は故郷をよくしたいと強く願っていた。しかし、苗栗は昔から資源に乏しく、若者たちの反抗意識も台北ほど旺盛ではなかった。陳為廷にしてみれば、さらに深刻に受け止めていたはずだ。なぜなら陳為廷は台北の建国中学で学びはじめてから、機会があれば多くの講座やサロン活動に参加していたので、自然と故郷の苗栗にもこのような機会があることを望み、こうした資源を持ち帰りたいと思っていたからだ。そこで、陳為廷は苗栗の若者たちに呼びかけて、「苗栗青年会」を設立した。そしてわたしも、この組織に焦点をあてて映画を撮りたいと思った。きっと人々に大きな感動を与えるだろうと感じたからだ。わたしはこの考えを企画化して、CNEXに提案した。CNEXのその年のテーマは「教育？　教育！」で、わたしは、彼ら若者たちが自発的に組織したこの会も、ある意味で教育の実践なのではないかと思ったのだ。残念なことに、その後、補助は受けられなかったが。

その後、わたしが撮った映画『私たちの青春、台湾』に次の場面がある。みんなが芝生に座っていて、そこで陳為廷が「風神一二五」を歌い、社会運動に参加したのは、自分と社会集団とのつながりを見つけたかったからだと語りだし、泣いたのだ。それは、苗栗青年会の「交流キャンプ」でのことだった。その交流キャンプは、三、四日間の活動があり、わたしは最初から最後まで陳為廷たちとずっと一緒にいるわけにはいかなかったので、カメラをキャンプの参加者に託していたのだが、ちょうどその瞬間をとらえてくれていた。撮影経験の無いメンバーが撮ったので、その場面はぶれている。でも、わたしはその素材を見たとき、とても貴重だと思った。なぜなら、陳為廷は人前で滅多に泣かなかったし、わたしは初めて彼の本音を聞いたからだ。

苗栗青年会での活動の途中で、陳為廷は、今度は楊長鎮の選挙に加わった。楊長鎮と何度も語り合い、互いの理念が一致したため、楊長鎮を支持することにしたのだ。ところが、民進党は苗栗での選挙戦に苦戦していた。民進党には、決め手となる手段も戦略もなかったからだ。そこで、陳為廷は「青苗組合」という組織を作り活動した。たとえば、林生祥(リン・ションシアン)[17]を苗栗に呼んで弾き語

14 **孫宇晨** 一九九〇年生まれ。中国、青海省西寧出身。ＩＴ関連分野で活躍する企業家。

15 **反メディア独占運動** 旺中グループによる一連の買収案が、メディア業独占の企図があるのではないかという市民団体の強烈な疑念を招き、これに抗議する「反メディア巨獣独占運動」が始まった。この運動は二〇一二年の夏から年末にかけて続き、参加した多くの学生運動団体や社会運動団体は、その後に起こったひまわり運動でも中心的な役割を果たした。

16 **楊長鎮** 一九六三年生まれ。台湾、苗栗県出身の客家人。民進党所属の政治家。

17 **林生祥** 一九七一年生まれ。台湾、高雄出身の客家人。作曲家、フォーク歌手。「風神一二五」を作曲。

りをさせ、人々の注目を集めた。また、二、三人の仲間と駅前で「憨人」[18]を歌ったりした。全体的に言えば、活動は散り散りばらばらだったが、若いにもかかわらず、こうした行動を率先してとったことなどから、陳為廷の人間性の一端を知ることができた。

しかし、ドキュメンタリー映画を撮影する立場から言うと、陳為廷はとても追いかけにくいタイプだった。彼は「自走砲」[19]のような性格で、何かしたいと思いついても周囲には言わず、後であっと言わせるのが好きだった。陳為廷は、ついて来られないのはあなたの問題だと考えていて、どこに行って何の活動に参加するのかを自分からは言わなかったので、いつもわたしから確認しなければならなかった。あいにく、わたしもまた何でも人に聞くのは嫌だった。これはわたしと陳為廷との力くらべだった。その後、何か運動や事件が起こったとき、あえて彼にはたずねず、自分で足を運び、彼に出くわさないか試してみた。わたしは、何でもかんでも人に連れて行ってもらうのは嫌だったからだ。後に、蔡博芸（ツァイ・ボーイー）と交流するようになっても同じようにした。蔡博芸はもう少しマシで、行動する前に教えてくれた。でも、わたしは、やはりお互いの距離に注意し、くっつき過ぎないようにした。あるとき、華光社区の立ち退きの様子を撮りに行ったが、意外にも彼らは二人とも現場に来ていなかった。わたしはたちまち不安になった。彼ら二人がいないと、レンズをどこに向けたらいいのかわからなかったのだ。

結局、わたしと陳為廷との関係は、つかず離れずであった。陳為廷はある一定の期間、特定のテーマに没頭して、他の人々に、彼が注目している事柄に気づかせ、彼と一緒に何かやりたいと思わせて、さらに革命的な感情を呼び覚まさせたが、そこから離れるのも早かった。そのような性格のため、陳為廷は、ただカメラのフラッシュを追っているだけで、みんなの関心が集まっているところに行き、誰も注目しなくなったら離れてしまうのだ、と多くの人が感じていた。でもわたしは、それは公平な見方ではないと思う。なぜなら、陳為廷が早くから没頭していた事柄のいくつかは、誰も注目していなかったからだ。わたしは陳為廷に、こういった批判に対してどう思うか尋ねたことがある。彼はこう答えた。誰もやろうとしなかったから、自分がやりたいと思った。でも時間が経つと他の人もやりはじめるから、自分がやらなくてもいいかなと思うようになった、と。

　陳為廷の性格はこうなのだ。深くのめり込み、何が何でも自分の関心あることをずっとやりつづけるタイプもいるだろう。わたし個人は陳為廷に比較的似ている。誰もやっていないことがあれば、わたしがやったらどうなるか、やってみよう、できなかったら途中でやめればいい。これは、わたしが政治ドキュメンタリー映画を撮りはじめた理由と少し似ている。わたしは郭力昕（グオ・リーシン）先生の文章を読み、政治ドキュメンタリー映画を撮る人が多くないことを知り、挑戦してみようと思ったからだ。しかし三・一八ひまわり運動の後、このテーマで映画を撮る人が増えてきたため、わたしはもうこのテーマで撮りつづけることにこだわってはいない。

　陳為廷のこのような性格は、彼の生い立ちと関係しているのだろうか。わたしは多分そうだと

18 **憨人**　愚か者、という意味のタイトル。

19 **自走砲**　戦闘車両の一種で、車両に火砲を搭載したもの。運搬のための軽快な移動性と短時間の準備で射撃開始できることが特色である。

思う。彼は帰属感を切望しているのと同時に、自分が見捨てられるのをとても恐れていて、むしろ自分から先に離れていくのだ。陳為廷が生まれる三ヶ月前、父親が刺殺された。一三歳のときには、母親を癌で亡くした。幼い頃から親戚中をたらい回しにされて、ずっと安心感が得られなかったのだ。誰かに頼りたいけれど、過度に頼るのは怖い。そしてわたしは、陳為廷のそんなもろさや人間性を垣間見るにつれ、彼についていきたい思いが強くなっていった。こうして、他の人と比べて、私のレンズはますます陳為廷にフォーカスするようになった。

　陳為廷の政治的な考え方を受け入れはじめてから、台湾の過去の戒厳令時期の歴史をどう考えるかについて、わたしの見方も彼と一致してきたのかもしれない。わたしがこの方面において二度目の（最初は『鏡よ、鏡』を撮影していたときで、曽也慎（ゾン・イエシェン）の家族から、親友が白色テロにより連行された話を聞いた）啓発を受けたのは、「移行期正義」に関するドキュメンタリー映画上映後の座談会でのことだった。その日上映されたドキュメンタリー映画は、王育麟（ワン・ユーリン）[20]監督の『如果我必須死一千次［If I Have to Die 1000 Times —— The Story of Taiwanese Left-Wing］』[21]で、その内容は、左派青年たちが地下抗争の末に粛清されるというものだった。映画の後、「台湾民間の真相と和解促進会」主催の座談会で、当時の国民党が、映画の中に出てきた地下党員たちをいかにして探し出し、芋づる式に一網打尽にしたかが、さらに詳しく説明された。

　この座談会は、わたしに大きな影響を与えた。座談会の後、わたしは初めて心から「白色テロ」とはいったい何か理解したいと思うようになったのだ。その座談会の前、わたしは反射的に台湾の過去の抵抗と迫害の歴史を、いわゆる本省人とイコールで結び、「二・二八事件」[22]という単独の事件と同一視すらしていた。心の中に漠然とした思い込みがあり、これらは一切自分とは関係の無いことで、わたしは迫害された団体に属していないのだから、彼らと共に敵がい心を燃やすことはできないと思っていたのかもしれない。ぼんやりと、自分は国民党と同じグループの側に立ち、国民党と一緒に罵られ、排斥されているとさえ思っていたのだ。

この座談会で、わたしは非常に新鮮な思いを抱いた。それは、映画の中で迫害されていたのが本省人ではなく、当時わたしが自分と同じ陣営だと思いこんでいた外省人だったことだ。そして映画の中でも、映画の後の座談会においても、当時の国民党が，少しでも反抗的な意図が感じられた者には、省籍の隔てなく手当たり次第に捕え殺していたことが露呈した。わたしは驚き、自分の見方がどれほど狭く、表面的な本省・外省の違いにごまかされていたかに気づいたのだ。わたしは強烈に意識した。自分の「国民党・民進党」という考え方は、根本的に、省籍の過去の歴史の画一的なイメージに縛られていただけなのだと。

このときから、わたしは考えはじめた。固定観念にとらわれていた昔のわたしのような人たちに、何かきっかけを与えて真相を認識させ、観念の転換を促したいと思ったのだ。これが、特に

20 **王育麟** 一九六四生まれ。台湾、台北出身のドラマ、ドキュメンタリー映画監督。

21 **如果我必須死一千次** 二〇〇七年製作。原題は、「もし私が一千回死ななければならなかったら」という意味。

22 **二・二八事件** 一九四七年二月二八日に台湾の台北市で発生し、その後台湾全土に広がった中国国民党政権（外省人：一九四九年の中華人民共和国成立前後に、共産党との内戦に敗れた国民党とともに大陸から台湾に渡った人々とその子孫）による本省人（中華民国が台湾を統治する前から台湾に住んでいた人々とその子孫）に対する弾圧。

『青と緑の対話実験室』のメンバーたちに、移行期正義について討論させたいと思った理由である。その後、陳為廷と知り合ったのだが、それは、彼がフェイスブックで数多くの同じような考えをもつ友人たちをフォローしていたからである。そして、知らず知らずのうちに、わたしもこの一団にかかわるようになっていたのだ。

雅聞（ヤーウェン）の反感

雅聞はこの「実験室」の中で唯一、国民党・民進党どちらにも偏らない人物だった。そんな彼女がわたしの誘いで撮影に参加することになったのは、『鏡よ、鏡』の上映後、私を訪ねてきて話をした数少ない若者のうちの一人だったからだ。雅聞は国民党・民進党についての議題に興味はあるが、どう判断すべきなのかはっきりしていなかった――これは当時のわたしと少し似ていて、こういう人が少なくないのだと、わたしは確信していた。わたしたちは選挙権を獲得したばかりで、台湾社会は選挙のニュースで溢れていたけれど、どのように選んだら良いのか本当にわかっていただろうか？

雅聞も自分の知識が足りないと自覚していたが、数回にわたる「陳為廷講演会」のような対談以後、陳為廷が多くのことを知っているからといって、「ずっとしゃべり続けてもかまわない」という情況に反感を抱いていた（わたしは陳為廷の考えに近くなっていたので、気づかなかったのだが）。これは、世間の多くの人たちの心情と同じだった。理論上はみんな平等だけれど、同じ場に陳為廷がいるだけで、雅聞は自分の意見を言うチャンスを失った。あるいは、たとえ発言したとしても取り上げられなかったのかもしれない。なぜなら、雅聞のスピーチは陳為廷ほどうまくはなかったから。

雅聞の焦りは理解できる。わたしにも同じような感覚がよくあったからだ。わたしは話がうまい方ではないし、三人以上のグループだと、言葉少なになってしまうタイプだからだ。わたしは、心の中では色々なことを考えていた。言う機会が無かっただけで。自分の論述能力が足りないから話さない時もあったし、あえて言わないという時もあった。それを他人のせいにはできない。でも、わたしや雅聞のような人間は少なからずいて、自分の声を発する術（すべ）がないために不安に駆られ、政治に対して排斥されたような感覚を抱いてしまうのだ。雅聞は、すでに自分の感じたことを何とか発言できるようになっていた。映画の中に出てくる凡恩（ファンエン）もまた同じようなタイプだったけれども、いつでも言いたいことを言えるとは限らなかった。これはある程度理解できる。なぜ、わたしたちが正しいと思い、より多くの人に理解してほしいと思うことを、聞きたくない人が多いのだろうか。もしかしたら意思疎通のやり方が、双方向の交流をおろそかにしているのかもしれない。とはいえ、彼らは決して一枚岩ではない。説得できるかどうかは、最終的には意思疎通のテクニックにかかっている。

その後、『青と緑の対話実験室』に参加した者たちは、ドキュメンタリー映画の撮影終了後に、「反メディア独占」と三・一八ひまわり運動が発生した際、ほぼ全員がこの二つの運動を支持した。このような変化に、わたしはとても驚き喜んだ。そして確信した。もしかすると、わたしが異なる立場の人々の対話にこだわったことには意味があったのかもしれないと。なぜなら、「国民党／民進党」、「統一／独立」、「本省／外省」の二分法で政治を見るありきたりのやり方から離れるきっかけを渇望しているのは、台湾にわたし一人だけではないと予想して、『青と緑の対話実験室』の撮影を始めたからだ。参加者たちの変化によって、わたしの仮説はある程度証明された。対話が生まれ、きっかけが作られれば、自身のために新しい選択をし、人は変わることができる。

ここにはもう一つ、とても重要な要素がある。わたしは、新しい世代の若者が、国民党・民進党の問題に対して固定観念をもっていないと感じた。若者たちは、より全面的な事実に接すれば、もとの考え方を修正しようとするだろう。わたし自身の経験と観察によれば、変化は往々にして、彼らが核心的な概念を受け入れたときに起こる。それはつまり、抗争は決して「暴動」ではなく、体制内での意思疎通の道筋が失われたとき、抗争者は体制外の抗争を通して特殊な討論空間を得るからだ。しかし、過去から今日に至るまでの歴史では――台湾でだけでなく、世界中数多くの場所でもそうだが――執政者は、往々にして「謀反」や「破壊」といった呼び方で、異議を唱える者を告発し、体制の悪や不備を隠してきた。この点に気づいてしまうと、この概念は自身が変化していくための起点をこじ開けるようになる――彼らは、過去の自分たちが欺かれていたと感じ、憤慨し、反抗者の立場に立とうとする。ドキュメンタリー映画の撮影の過程で、だんだんと考え方が変化していったわたしと同じように。このドキュメンタリー映画の撮影終了後まもなく、反メディア独占運動が起こった。そのとき彼らは、自分の目で、陳為廷が、当時の与党寄りのメディアによって、野党の煽動に利用されている「緑衛兵」[23]だと切り捨てられるのを見た。おまけに、このニュースが何度も繰りかえしメディアで放映されたため、彼らの憤りはひどく強烈なものとなったに違いない。なぜなら陳為廷は確かに民進党寄りだったが、メディアの報道では事実がねじ曲げられており、実際に接したことのある陳為廷本人とは、まるでかけ離れていたからだ。

本来、国民党支持だったほとんどの『青と緑の対話実験室』のメンバーが、ドキュメンタリー映画の撮影後、このような心理的転換を生じた。林家興（リン・ジアシン）[24]以外は。林家興は、父親がかなり年がいってから生まれた子供で、外省人二世だったが、林家興は、同世代によくいる外省人三世たちとは違っていた。彼は、外省人一世たちとの関係の方がより深く、受けた影響もより大きかったのだ。林家興は、中国伝統の文人的習慣を踏襲し、自分の字（あざな）と号をもっていた。わたしは、林家興の政治的信念の強さが、わたしの両親たちの世代と近い気がした。

その他の人々は、ほぼ全員が変わった。もともとの政治的立場が国民党寄りで、二〇一二年には両親に従って国民党陣営に投票した凡恩も、その一人だ。彼は、戒厳令時期の歴史に注目しはじめ、多くの社会運動に参加した。凡恩は少しシニカルで、世界はこんなことで変わるわけでは

23 **緑衛兵** 中国の文化大革命時に、毛沢東や共産主義（赤：中国語で紅）に従い活動した少年少女たちの組織である「紅衛兵」をもじり、台湾の民進党（緑）に従い活動する青少年を指している。

24 **林家興** 一九九〇年生まれ。台湾、台北出身の国民党所属の政治家で、国民党青年団総団長や国民党中央常務委員などを歴任。

ない、とよく言っていたが、少なくとも、反対運動をそれほど排斥しないようになっていた。

三・一八ひまわり運動の現場で、わたしは雅聞と出くわし、とても驚いた。雅聞はこう言った。「潘軒岑（パン・シュエンツェン）[25]に呼ばれたのよ！」と。軒岑は、『青と緑の対話実験室』の中で、国光石化の「開発計画」予定地で牡蠣オムレツを食べていた女子学生だ。軒岑は、もともと国民党を支持していて、馬英九や国民党が、比較的国際的視野に立っていると思っていた。でもその後、軒岑は変わった。三・一八の現場で、彼女もまた、国民党と対立する側に立ったのだ。

実際、その数年間は、街頭でのデモ活動が少なくなかった。前に挙げた「反メディア独占」以外にも、さらに早期の野いちご運動、二〇一三年にも八・一八内政部占領事件[26]があり、その後、二〇一四年に三・一八ひまわり運動が起こったのだ。だから、三・一八は根拠なく発生したのではない。八・一八内政部占領事件のとき、裕平は意外にも現場にいた。裕平は、前にも述べたように、家が民進党寄りだったが、小さい頃から国民党寄りの友達と共に成長し、家族よりその友達との関係が良かったため、悩むことなく国民党寄りのアイデンティティをもっていた。裕平は映画『青と緑の対話実験室』の中で、こう言っている。最初は「実験室」を面白いと思ったが、対話する中で、自分がとても無知であることがだんだんわかってきて、関心が無くなっていったのだ、と。こんな状態ではあったが、八・一八内政部占領事件のとき、わたしは彼が現場にちゃんと来ているのを発見した。誰もがみんな、さらに社会に関心をもつようになり、以前は自分と無関係だと思っていたことにしっかり触れようとしていた。これはわたしにとって大きな喜びだった。

映画が公開されるという頃、凡恩はフェイスブックにこう書いた。『青と緑の対話実験室』への参加は、自分の人生に大きな影響を与えた。もし参加していなかったら、自分の人生は今とは違っていただろう、と。わたしはこれを読み、とても感動した。

ステレオタイプではない香港・中国出身学生

『青と緑の対話実験室』の中の、大陸出身の孫宇晨と香港出身の黄俊傑（ホアン・ジュンジエ）[27]は、ともに陳為廷が連れてきた。

わたしが陳為廷と知り合った頃、彼は、清華大学で王丹（ワン・ダン）の授業を受けていた。わたしは、陳為廷がフェイスブックに天安門事件［一九八九年］のドキュメンタリー映画を見に行きたい、と書いていたのを読んだことがある。陳為廷は、王丹と一緒に食事をしないかと前に誘ってくれたが、わたしはそのとき、少し恥ずかしい気がして行かなかった。

王丹は天安門事件後に逮捕されて入獄し、病気による仮釈放の後、アメリカに亡命し、

---

25 **潘軒岑** 傅榆がフィールドワークの授業を担当していた台湾の中州技術学院の学生。

26 **八・一八内政部占領事件** 二〇一三年八月一八日の夜、「台湾農村陣線」が多数の民権団体と合流して大統領府の前でデモを行い、約二〇〇〇人が徹夜して内政部を占領した。同年に工業団地建設のため、住民が土地や建物から強制退去させられた「大埔事件」に関連した反対運動。

27 **黄俊傑** 一九八六年生まれ。香港出身の政治家。二〇一四年の民主化デモ「雨傘運動」の後、新党の青年新政に入党しスポークスマンをつとめる。

二〇〇八年にハーバード大学で歴史学と東アジア言語学で博士号を取得した後、二〇〇九年に台湾で講義をもつようになり、二〇一〇年に清華大学人文社会学部の客員教授となった。王丹はずっと、台湾人学生にも中国人学生にも、もっと中国の現状を理解してほしいと願っていた。この考えはわたしも同じで、わたしたちが中国の実像を理解し、最も核心的な問題を知ってこそ、突破口が開けるのだと思っていた。中国を怖がってばかりいては、自らシャットダウンすることになる、と。

王丹は当時、台湾が必ず独立国家になるべきだとは思っていなかった。王丹はしばしば大学キャンパス内で「統一・独立大弁論大会」という活動を行っていた。陳為廷は独立派の代表として参加していたが、統一派を説得することができなかった。逆に、統一派も独立派を説得するのは難しかった。面白いことに、中国人学生たちは王丹の授業が危険だと感じていたが、中国では接触することができないので、非常に興味をもっていた。そのため、王丹の周りには、いつも多くの大陸出身・香港出身の学生たちが取りまいていた。彼らは王丹に接触していたために、中国の政府筋とは異なる考え方をしやすかった。二〇一一年、陳為廷と香港人学生の黄俊傑は、大陸出身の学生たちとともに天安門事件記念の夕べを主催した。彼らを互いに結びつけたのは、やはり王丹だった。林家興も、天安門事件記念の夕べの企画に参加している。

陳為廷らが主催した天安門事件記念の夕べに参加して、わたしは、政治的立場の異なる人同士でも、対話をすることができて、コンセンサスを得られることを知った。林家興はコテコテの国民党派、陳為廷は筋金入りの民進党派だったが、彼らは、天安門事件記念という事柄においてコンセンサスを得ることができた。たとえ、その中で考え方が異なる点が多々あったとしても、人権を維持・擁護し、共産党に反対するという共通理念によって、協力することができたのだった。

中国人学生の宇晨と香港人学生の俊傑は、ともに王丹の学生で、陳為廷によって社会運動の現場に連れて行かれたり、鄭南榕(ジョン・ナンロン)基金会[28]の展示を見たりして、台湾の戒厳令時期に発生した多くの出来事や、民主化の歴程を知った。そのため、彼らが映画の中で表明した考え方は、一般的に知られている多くの香港・中国出身学生たちとは大きく異なっている。もしこれらの知識や観点に触れていなければ、あるいは開放的な心がなければ、独立思考になった理由を語ることは難しいだろう。ましてや、それが理解できない場合は、こういった論調をいわゆる「民進党寄りの立場」だと、安易にレッテルを貼ってしまうだろう。後に、『青と緑の対話実験室』を上映した際、国民党寄りの若者たちは、映画の中ではオープンに対話していたが、呼ばれた学生や表れた結果からみると、監督自身がきっと「民進党派」に違いないと思ったようだ。実際、わたしも、典型的な統一派の大陸出身の学生を探そうと思ったことがなかったわけではない。王丹が清華大学で「統一・独立大弁論大会」を主催したとき、わたしは、たくさんの統一派の学生に会った。あるとき、わたしが会場にカメラを持って行ったら、王丹はこう言った。「できれば撮らな

28 **鄭南榕基金会** 鄭南榕は、一九四七年生まれの台湾の民主化運動家。政治雑誌『自由時代』の編集者。表現の自由を訴え、国民党政治の反対派を支持し、台湾独立運動を主張した。一九八九年四月七日、国民党による強行逮捕に反抗し焼身自殺した。彼の死は民主化運動の高まりに大きな影響を与えた。基金会は、思想・言論の自由に関する研究を奨励し奨学金を設けている。

いでほしい、みんなが話さなくなってしまうから」。それで、わたしは撮影をしなかった。彼らの討論が終わってから、わたしは檀上で発言した大陸出身学生に質問してみた。『青と緑の対話実験室』に参加してみませんかと。ところが、誰一人希望する者はなく、みんな口々に「ごめんなさい、ご理解ください」と言ったのだ。わたしにはわかる。彼らはみな、自分たちの発言をひどく心配しているのだ。万が一何か言ってしまったら、きっと良くないことが起こるから。

ＣＮＥＸからの補助も、私が香港・中国出身学生を撮影に呼ぶことができた重要な要因の一つである。ＣＮＥＸは、わたしの素材を見て、インタビューした人々の討論内容を聞いて、中国あるいは外部からは、台湾の「青と緑」問題がどんなふうに見えているのか、非常に興味を持ってくれた。ＣＮＥＸはこのやり方こそ、異なる視点から物事を見ることになる、と感じたのだ。わたし個人は、中国、香港の学生がどんな見方をするのか予期していなかったが、ＣＮＥＸの提案を聞き、これは試してみる価値があると思い、撮影することにした。その結果、わたしにとっても、もう一つの扉を開くことになったのだった。

みんなで乗り越えよう

中国と香港の学生たちと交流した後、わたしは、問題がまだ終わっていないことに気がついた。台湾の国民党支持・民進党支持双方の若者たちの間で、コンセンサスの問題点が生じたことについては、前述した通り、過去の歴史を認識し、抗争の正当性を認めはじめていたので、わたしはすでに答えを見つけ出した気がしていた。しかし、『青と緑の対話実験室』の撮影終了後、わたしは「中国ファクター」の台湾への影響に、より注意をはらうようになった。当時うっすらと、もっと多くの人々が、中国が民主化に向かうか否かが台湾の現状に影響してくるということを認識すれば、台湾内部のコンセンサスをまとめる一助となると感じていた。そして、この方向性をはっきり認識したなら、大陸出身あるいは香港出身の学生たちから、もう一つ何かを見出せる気がしたのだ。宇晨はアメリカ留学へ行く前、わたしに引き続き協力したいと願い出てくれた。俊傑も、この問題に関して同じく興味深く思ってくれた。大部分の香港・中国出身学生は統一派だったが、統一派にもかかわらず、オープンに対話できる学生たちにも出会えた。それなら、二分法から離れて、もっと複雑な比較をすれば、独立を支持するグループを探し出せるのではないか。わたしは、もし国民と政府とを分けて、独立思考をもつ台湾、香港、中国の若者たちを集めたら、それぞれのバックグラウンドが国や民族の系譜に加えて統一の場合も独立の場合もあることになり、これも『青と緑の対話実験室』の続編になり得ると思ったのだ。

わたしはそのとき、一連の撮影と交流を通じて、中国の民主化に対して大きな期待を抱いていた。中国がいつの日か、より人権を尊重し、人権に基づいて、台湾人の考え方を受け入れ尊重し、台湾が自身の前途を自由に選択することを認めてくれるように変わることを願った。その間、中国の社会的気風も確かに開放的であり、台湾と香港、中国の間の交流も活発だった。当時、わたしは資料を調査しニュースを見るたびに、中国の民主化は難しいけれど、決して不可能ではないと思っていたのだ。さらに数年を経れば、中国もまたさらに変わっていくのではないだろうか、と。

わたしは、中央研究院社会学研究所の呉介民（ウー・ジェミン）[29]先生が書いた『第三の中国イメージ〔原題：第三種中国想像〕』（二〇一二年、左岸文化）を読んだ。この本は、わたしたちに、単純に中国をチャンスだと思わず、かといってステレオタイプに中国を危険だと思うことなく、より理解を深め、中国政府と中国人民とを分けて考える必要があることに気づかせてくれる。台湾人にとって脅威なのは、両岸を行き来して政治と商業的利益を掌握する者たちで、台湾、香港、中国の上空を旋回する「海峡を越えた政商ネットワーク」だ。国民の観点に立ち、わたしたちは、海峡を越えた台湾、香港、中国の公民社会の力をどのように結集すればよいか考え、このネットワークと対抗していかなければいけない。

『第三の中国イメージ』が出版されたのは二〇一二年の末で、台湾ではちょうど「反メディア独占運動」が起こっていて、陳為廷も、その頃からメディアに登場しはじめた。「反メディア独占」の前、陳為廷は、やはりある運動――「華隆紡織ストライキ問題」[30]に熱心に取り組んでいた。でもその間、わたしは『青と緑の対話実験室』の編集作業をしていて、積極的には撮影をしなかった。この運動の撮影に積極的になれなかったことで、やはり自分が、国と民族、アイデンティティに関する運動について、より関心があるのだと気づいた。

「反メディア独占」問題の発端は、親中寄りの立場の旺旺グループが、二〇〇八年から、『中国時報』、中天テレビ〔中天電視台〕、中国テレビ〔中国電視公司＝中視〕を次々に買収し、またさらにケーブルテレビの「中嘉網路〔ＣＮＳ〕」まで買収しようとしていたことにある。こうしてできた「旺中グループ」は新聞のみならず、テレビチャンネルの決定権も持つことになったが、このようなメディアの縦断的買収は、台湾のメディア産業での単一企業による独占を招く恐れがあった。とりわけ、旺中グループは強烈な親中カラーを帯びていたので、余計に、中国政府がこのグループを通じて台湾メディアの自由度に影響を及ぼすことが危惧された。そのため、この買収問題は、一貫して研究者たちの関心を集め、反対を受けていたのだ。

二〇一二年七月二五日、中央研究院研究員の黄国昌（ホアン・グオチャン）[31]が記者会見を開き、旺中グループによる中嘉〔CNS〕の買収に反対した。記者会見が終わるとすぐに、数百名の学生がNCC〔国家通信放送委員会〕に集まり、旺中グループの買収問題に抗議した。続いて、『中国時報』に関係するメディアが報道を開始した。デモに参加した大学生たちの多くは、アルバイトに雇われた「サクラ」だったが、デモ隊の中に「親世代」の人物が行き来するのがしばしば映った。目ざといネット民は、それを見逃さなかった。ニュース画面に映った「親世代」の人物は、なんと『時報週刊』副編集長の林朝鑫（リン・チャオシン）[32]だったのだ。

29 **呉介民** 一九六二年生まれ。米国・コロンビア大学で政治学の博士号を取得後、中央研究院社会学研究所研究員。著作の『第三の中国イメージ』は、傅榆や陳為廷たちに大きな影響を与えている。

30 **華隆紡織ストライキ問題** 二〇一二年六月六日から、台湾の代表的な紡織企業である華隆紡織で二〇〇人を超える労働者が解雇手当などの未払い、賃下げに抗議してストライキに突入した。

31 **黄国昌** 一九七三年生まれ。台湾、新北市出身の法学者、弁護士、政治家。中央研究院研究員を経て、ひまわり運動から発生した革新政党である時代力量の党首（二〇一九年まで）。

32 **林朝鑫** 一九五九年生まれ。台湾の記者、ジャーナリスト。『中国時報』、『自立晩報』、『自立早報』記者を経て、『時報週刊』副編集長。

陳為廷はフェイスブックにこの記事を転載して、これは林朝鑫の自作自演だと指摘し、その結果、旺中グループに提訴された。実際、そのときに記事を転載したのは為廷だけではなかったが、彼が転載したときに多くの人が見たために、見せしめにされてしまったのだ。こうして、大勢の人々が今度は本当に集結して、旺中グループの入り口まで抗議に駆けつけた。中には「あのオヤジは、陳為廷より投稿早かったぞ。旺中、しっかりしてくれよ」というプレートを掲げている者までいた。その日は大雨だったが、現場には七百人以上の参加者がいた。しかし、陳為廷本人は現場に行かなかった。自分が声援を送られている立場なので、現場に行くのはふさわしくないと思ったからだ。その間、陳為廷の過去の多くの言行が、メディアで繰りかえし取り上げられていた。陳為廷が蔡英文後援会の一員だという者や、強硬に「緑のレッテル」を貼る者までいて、彼はまるで「緑衛兵」のように描かれていた。

そのときの声援を受けて、陳為廷は組織を作れそうだと気づき、「反メディア巨獣青年連盟」[33]に加わった。しかし陳為廷は、その頃たびたび、わたしのドキュメンタリー映画のインタビューの中で、その組織がゆるんでいて、会議を開いても、うやむやなまま終わってしまうと言っていた。大きな事件が発生しても誰も行動を起こさないだろう、と。その後、陳為廷は買収問題の調印が行われる前夜、林飛帆（リン・フェイファン）[34]ともう一人の仲間に電話をかけて、行政院を襲撃することを決め、こうして一一月末の行政院前の夜通しの座り込みが起こったのだ。

陳為廷たちは、抗議の際、何度も行政院の鉄のゲートを乗り越えようとした。実際、みんな心のどこかで、行政院の中に入るのはそれほど簡単ではないと思っていた。彼らは何度も突入するフリをして、政府が応えようとしないから、我々は中に入らざるを得ないのだというイメージを作り上げていった。しかし、実際に行動しはじめると、みんな一生懸命になった。このような情況下で、本当に乗り越えようとした者たちもいた。

わたしは、そばで見ていたとき、最初は彼らがポーズをとっているだけだと思っていたが、その後、彼らの心意気を感じて、こう思いはじめた。もし本当に突入できたらどんなにいいだろう、と。結果は予想通り失敗に終わったが、わたしは意外にも喪失感を覚えた。そして林飛帆は泣いていた（陳為廷も涙にむせびながら、林飛帆に「何泣いてるんだよ」、と言った）。

これは、過去のわたしとは天と地ほどの差があった。わたしは今まで考えたことも無かった。こんな抗争の場で、壁の外に立ち、みんなにゲートを乗り越えてほしいと思う日が来るなんて。しかし、現場にいない多くの人々は、たとえば林家興などは、これは暴動で、まったく正当性が無いと思っただろう。「何の権利があって抗議しているのか知らないが、政府が応えるとでも？政府には、他にやらなければならない仕事があり、抗議すべてに応えられるはずがない」と。以前のわたしだったら、林家興と同じような考え方をしていたかもしれない。

わたしは、林家興の動向に引き続き注目しようと思っていたが、だんだんわかってきたのだ。お互いに、意思疎通をはかるのが難しくなってきたことに。わたしは現場にいて、みんなの行動

33　**反メディア巨獣青年連盟**　メディア巨獣（モンスター）の出現を阻止するためとして、台湾各地の大学生が結成した組織。

34　**林飛帆**　一九八八年生まれ。台湾、台南市出身。ひまわり運動の主要な学生リーダーの一人。現在は民進党副秘書長（幹事長）。

が理解できた。でも、現場にいなかった人たちは、理解などできるはずもない。だから、わたしはその後、林家興とだんだん疎遠になっていった。それなのに、なぜわたしは、また彼を撮りたいと思ったのか。それは、林家興がコテコテの国民党派にもかかわらず、ある程度開放的なところがある、とても貴重な人材だったからだ。林家興はかつて、政治大学の生徒会で対談を行ったことがあるが、わたしの考え方に近く、国民党支持・民進党支持の、異なる立場の人を探して対談していた。陳為廷のフェイスブックでのコメントに対しても、林家興は前にこう返信していた。自分は違う立場だけれど、陳為廷のことをとても評価している、と。国民党青年団の若手で林家興のような者は少ない。彼らの大半は、わたしとの接触を避けていた。彼らは、わたしが表面的には中立に見えるけれど、中身は民進党派だと思い、距離を感じたのだろう。

しかし、林家興はそうではなく、立場は完全に同じではないが、わたしの開放的なところを信じてくれた。わたしも、林家興の意識形態は自分と異なってはいたが、彼が別の角度から体制内での改革を進め、この国をさらによくしようと望んでいたのを感じた。林家興も自ら行動し、他の人と討論したいと願っていた。それが、今に至るまで、林家興の考え方に変化が生じないか観察し続けている理由である。国や民族の問題はさておき、林家興の考え方は、コテコテの民進党支持の青年と非常に近いところがあった。たとえば、彼は国民党が過度に保守的で腐敗していると認識していて、だからこそ、改革の理念をもって国民党に入党したのだ。しかし、三民主義で中国を統一するという執念が、まだ彼の心の片隅から離れなかった。国民党が過去に敵対者を迫害した行為は、政府が国民党と共産党の「準戦争」状態にあったため正当な行為であると考えていたので、大部分において人権と正義に違反していたことを直視し反省するべきだ、という意見を受け入れられないのだった。

二〇一二年一二月三一日の夜、「反メディア巨獣青年連盟」の会員たちは、行政院の前で、一晩中の座り込みを行った。春節期間には、「国中を駆け回る」という活動を企画した。それは、数人でトラックに乗りこみ、北から南まで隈なく街宣活動を行う、スーパー青春熱血ツアーである。わたしは、すべての地点について行って撮影したわけではないけれど、ついて行った場所では、現場に集まった人は少なくなかった。会員たちはそこでギターを弾き、必ず、「憨人」と「風神一二五」を歌った（あるとき珍しく「不再讓你孤単」[35]を歌っていたが、それは、陳為廷の当時の彼女が現場に来ていたからで、私が撮影したのだが、とてもその場の雰囲気に合っていたので、『私たちの青春、台湾』に収録した）。つまり、運動というものは、こういった行動をじっくり積み重ねて初めて、より多くの人々の支持が得られるのだ。わたしたちは結局、自分の身近な土地を深く耕すことから始めて、そうしてやっと海外の声援を得られるかもしれないのだ。

35　**不再讓你孤単**　もう君を一人にはしない、という意味のタイトル。

反メディア独占？　それとも反中国ファクター？

反メディア独占運動で、一貫して争論となっていたのは、その重心が反メディア独占なのか、それとも反中国ファクターなのかということだった。陳為廷らは、中国ファクターに重きをおいていたが、「メディア学生戦線〔原文・伝播学生闘陣〕†」の人々は、メディア改革の観点から考える必要があると主張した。しかし現実には、反メディア巨獣青年連盟の抗議活動は、メディア改革だけをフォーカスするのではなく、その中の中国ファクターを指摘して批判したことで、あれほど多くの人々を集めて街頭で抗議することができたのだ。

同じような情況は、後の三・一八ひまわり運動でも起こった。一貫して両方の意見があり、単純に、貿易問題について討議する者もいれば、反中を強調する人もいた。わたしは、どちらも正しいと思う。それは本来、二つのファクターを含む運動であるのだから、どちらか一部分だけを取り上げて論じても間違いではないのだ。わたしの理解では、陳為廷ら反中国ファクターを主張して運動をしている人々は、はじめからこれらの運動を、単純にメディア改革や貿易問題だと定義づけてはいないということがあった。彼らも、メディア改革や貿易問題を重要だと認識している。しかし、それらを討論するには、この次元に留まっていてはいけないと考えているのだ。中国ファクターは、明らかに大きな影響を与えており、メディア改革運動であろうと反自由貿易運動であろうと、それを避けるべきではない。わたしは、対話が非常に重要だと考えている。双方の言語は異なっており、イメージの落差、あるいは誤解もあるだろう。しかし、ロジックに矛盾が無ければ、必ずコンセンサスを得られるはずだ。明らかに、一部共通する価値観をもっているのに、分裂する必要などあるだろうか？　その実、分裂するのも、もっともなことだ。理念には様々な分岐があることを受け入れるべきで、これも民主的価値に符合する。しかしわたしは、わたしたちの敵は巨大ではあるが、基本的なコンセンサスの一つも得られないものだろうか、といつも思うのだ。

とにかく、中国ファクターの台湾における影響は、わたしたちがいま目にしているものより、はるかにシビアで大きいと思う。それは、浸透という方法で、人々の考え方に見えない影響を与え、簡単に警戒心を解かせるのだ。反メディア独占［運動］時期の台湾はまだ幸せだったと思う。明らかに中国の代理人である蔡衍明(ツァイ・イエンミン)[36]のイメージがひどく悪かったため、彼をたたきやすかったし、みんなで同じ敵に立ち向かって戦う気持ちに溢れていたので、買収問題を阻止することができた。しかし、中国ファクターが目に見えなければ、メディア改革は非常に進めにくく、関心を持たれなくなってしまったに違いない。

【原注】† 伝播学生闘陣　メディア学系の大学生と大学院生によって組織された社会運動団体で、略して「傳学闘」という。

36　**蔡衍明**　一九五七年生まれ。台湾、台北出身の著名な企業家。旺旺グループ創始者で、中国時報グループの最大株主であり、中天テレビの経営者でもある。台湾独立に反対し、親中的立場をとる。

青春・政治三部作 その二――ドキュメンタリー映画『青と緑の対話実験室』

『青と緑の対話実験室』は、傅榆（フー・ユー）が『鏡よ、鏡』の撮影後、引き続き台湾の青と緑「国民党と民進党」の政治についての考察をテーマにしたドキュメンタリー映画で、完成版は二〇一一年九月に初上映され、上映時間は七五分だった。『鏡よ、鏡』が家族や友人、上の世代の人々の政治志向にスポットを当てているのとは異なり、『青と緑の対話実験室』は、支持政党の異なる青年たちを集めていて、彼らの多くは「首投族」だが、二〇一二年の総統選挙の四八四日前から始めて、何度もテーマ性のある体験談話を繰り広げた。この作品も、間接的に、二〇一二年の総統選挙の前後に台湾社会で発生したいくつかの重大な政治争議、たとえば国光石化や反原発運動などを採録している。

映画は全部で八章に分かれており、時系列に沿って、監督が提起した問題について政治討論を展開している。八つの章立ては、「二世代の間」、「反国民党、すなわち民進党支持?」、「中華民国、それとも台湾?」、「支持の原動力は嫌悪から?」、「うんざりされる『立場』?」、「国民党・民進党以外の可能性?」、「決め手は、やっぱり統一・独立?」、「歴史の結び目をひも解く」で、これらの問題は、傅榆の前作『鏡よ、鏡』の関心と観察の延長と見てよい。参加者の政治志向はかなり多様で、国民党、民進党、中立の簡単な区分を用いてもよいが、この区分以外に、各人がそれぞれ異なる背景と関心をもっているため、それらの立場の違いにより、さらに何組かに再区分できる。自身の立場と家庭の政治志向とが異なる例では、映画の中で裕平(ユーピン)は友人の影響を受けて国民党寄りとなったが、父親が国民党籍の首長である盛莆(ションプー)は、進学過程で人権に興味を持ち民進党寄りになった。政治に熱狂的で社会運動に関心がある人の例では、コテコテの民進党支持派の為廷(ウェイティン)に対して、同じく野いちご運動に参加したが、国家、国旗を熱愛する国民党寄りの上官(シャングワン)もいた。政党内で働いたことのある人の例では、為廷は民進党籍の苗栗立法委員である楊長鎮(ヤン・チャンジェン)の選挙陣営に加入したが、中国文化のアイデンティティがあり、自身も字(あざな)と号をもつほどの家興(ジャーシン)は、国民党青年軍への参加を選んだ。凡恩(ファンエン)は、この討論の過程を何度も経た後、人民民主戦線に加入し、小政党の選挙支援を行うことを決めた。そして国民党支持でも民進党支持でもない立場の雅聞(ヤーウェン)も映画の中に登場し、知識人が発言権を握っていることについて、一般人が意見を言うチャンスが無いという反感を述べた。

映画の中では、国民・民進両党の総統候補陣営の若手スポークスマンである殷瑋(イン・ウェイ)や林鶴明(リン・ホーミン)も招かれて、直接参加者たちと対話した。そして、中国人学生の宇晨(ユーチェン)や香港人学生の俊傑(ジュンジエ)も、やはり招かれて討論に加わっている。

学者の郭力昕(グオ・リーシン)はこう分析している。この実験室からは、台湾の青年世代の政治対話におけるいくつかの共通性が見てとれる。彼らは進んで耳を傾け、相手を説得あるいは言い負かそうなどと焦ることなく、歴史的な重荷もそれほど無く、それぞれの家庭の立場を飛び越えるチャンスがあり、論争中、言い訳をしながらも対話を持続することができる。そして、比較的気軽な、ゲームをしているような感覚で、厳粛な政治の議題に向き合うことができるのだと。

このような結果は、『鏡よ、鏡』の結末のように我々をがっかりさせるものではない。たとえ、お互いの立場を一致させることはできなくとも、対話を通じてお互いを認識し、コンセンサスを得るチャンスを高めることで、この世代の若者たちの中に、一定の可能性が存在することを示したといえる。

第五章　わたしたちの青春は、台湾だけにとどまらない

片思いではなかった

二〇一二年一一月二六日、反メディア独占運動のため行政院で夜通しの活動が行われた日、雨が降るなか、わたしは蔡博芸（ツァイ・ボーイー）を見かけた。実は二〇一二年の六月にも博芸を見かけたことがあった。一月の総統選挙が終わり、『青と緑の対話実験室』の撮影を三月に一度やって、他にも大陸出身者を見つけたいと思っていたころだ。CNEX関係者によると、ネットで話題になっている「台湾で過ごす青春〔原題・我在台灣，我正青春〕」というブログがあり、それを書いている蔡博芸は、台湾の大学が大陸の学生に開放されてやって来た第一期生ということだった。わたしはそのブログを見て、博芸が中国人の立場からものごとを見ながらも、台湾を深く理解できていることに気づいた。それで、次のインタビュー対象としてねらいを定めた。

わたしは博芸のSNSアカウントを探しだし、『青と緑の対話実験室』を制作していることや、中国人の意見を聞きたいということを説明した。でも、「ごめんなさい。そういう話題にはあまり興味がないの」という返事だった。後になってから、博芸はメディアに対して警戒心を持っていたということを知った。ブログが話題となり多くのメディアが取材に来たが、あるテレビ局が

インタビューを都合のいいように切り貼りしたことで、メディアをあまり信用できなくなっていたらしい。わたしはそんなときに声をかけて博芸に警戒心を抱かせてしまい、あきらめざるを得なかった。

　でもその後、『青と緑の対話実験室』の編集をしながら続編の構想を練っていたときに、またCNEX関係者が教えてくれた。淡江大学（たんこうだいがく）の楊景堯（ヤン・ジンヤオ）[1]という先生が大陸出身学生のことに注目していて、大陸出身学生の文章を集めて『大陸出身学生の台湾ドリーム［原題・大陸学生台灣夢］』という本を出版しているが、その本に蔡博芸の文章も収録されている、という話だった。当時、新刊出版記念イベントがあり、わたしも参加して、蔡博芸が壇上で話すのを見た。彼女はちょっと決まり悪そうで、あなたの台湾ドリームは何ですかと記者に訊かれて、「大きな志はなくて、良い本を読んで、良い人に嫁いで、良い子を産んで、良い仕事が見つかりさえすればいいです」と答えていた。

　これが、蔡博芸を見た最初だった［二〇一二年六月］。わたしは一度取材を拒否されていたので、彼女に声をかけるのはためらわれた。ただ、すでに『青と緑の対話実験室』の続編を撮ろうと思っていたから、もっと中国の学生と知り合いになりたいと思い、壇上で発言した何人かに話しかけた。そのうちの一人が刀哥（ダオゴー）で、すぐに受け入れてくれた。孫宇晨（スン・ユーチェン）を除けば、こんなに快く受け入れてくれた大陸出身学生にはほとんど会ったことがなかった。それで、彼ともう一人を呼んで家で話すことにした。でも、なかなかスケジュールが合わなかったのと、わたしが映画の編集作業で忙しかったのとで、二〇一三年の反メディア独占運動の後になってしまった。そのときはもともと三人来るはずだったが、女子学生が一人ドタキャンしたため、わたしは刀哥に、代わりの女子学生を連れてこられないかと訊いてみた。彼は、いいよ、女子を連れてくるのは得意だからと答え、蔡博芸を誘うと言う。私は、「でも、彼女には断られたことがあるんだけど、本当に声をかけるの？」と訊いた。刀哥は大丈夫と言って、本当に博芸を連れてきた。

話を二〇一二年一一月二六日に戻すと、行政院の反メディア独占運動の現場で蔡博芸を見かけたわたしは、彼女がどうしてそこにいるのか不思議に思った。大陸出身学生に対する印象と言えば、政治に関わることを恐れているという感じだったから。当時、［書籍化された］『台湾で過ごす青春』が出版されたばかりで、わたしはまだ読んでいなかった。あとになって、その本の中に士林の王一家強制立ち退き[2]について書いた文章があることを知った。博芸は観察者の立場にすぎなかったものの、少なくとも現場まで足を運び観察をしていた。でも、たとえ士林の王一家の立ち退き事件に関心を持っていたとしても、メディアの独占に注目するのはまた別の次元のことで、何と言っても中国に関わってくるものだし、博芸にとっては危険性のより高いものであったはずだから。

わたしは戸惑いながらも、好奇心もあり、なるべくカメラを博芸に向けて撮影をしたが、気づ

1 **楊景堯** 一九五七～二〇一五年。台湾で学ぶ大陸出身学生について研究を続け、「大陸出身学生の父（陸生之父）」とも呼ばれる。淡江大学中国大陸研究科特任准教授であった二〇一五年に、ガンのため死去。

2 **士林の王一家強制立ち退き** 台北市士林区の再開発に絡み、王一家が立ち退きを拒否して裁判に発展し、社会運動を巻き込んで一大論争に発展したできごと。

かれるのを心配して手が震えた。博芸は厳格そうに見え、難しい顔をしている印象で、積極的に話しかけるのがためらわれた。

しかし、刀哥が博芸をわが家に連れてきたときは、まったく人が変わったかのようだった。二重人格なのではと疑ったほどに。とても活発な印象になっていて、小白宮［リトル・ホワイトハウス］問題[3]について淡江大学の近くで抗議活動をするというチラシを見せて、この問題はとても重要なので、みんなに注目してほしいと訴えた。その説明を聞くのは奇妙な感じで、反面ちょっとうれしくもあり、中国人学生であるにもかかわらず、こんなにも台湾の問題に関心を持っているのを見て、台湾人自身も同じように関心を持てるのではないかという希望を抱いた。わたしはますます博芸に興味を持ち、後日、単独で彼女を訪ね、博芸をメインにした作品を撮りたいと伝えた。その構想を企画書にもまとめ、新北市のドキュメンタリー映画賞にも応募した。これが博芸と知り合った経緯だ。当時は長きにわたって撮影を続け、陳為廷（チェン・ウェイティン）の話とあわせて一つの作品にまとめることになるとは、まったく想像もできなかった。

一方、陳為廷は反メディア独占運動で注目を集めてから、一部の大陸出身学生の間でアイドル視されるようになった。大陸出身学生を我が家に招待した日、陳為廷も来ていて、みんな為廷と写真を撮りたがった。自分の高校・大学時代の見方と比べて、また当時の社会や大衆が持ちがちだった印象とも違って、時代の変化をはっきりと感じたのは、学生運動が楽しく、ポジティブで、正当な好ましいことのようで、もはや反乱のようなイメージではなくなっていたことだ。若者たちの間では、異議申し立てを行うソーシャルグループを組織するムーブメントが巻き起こっていた。

博芸もそうした動きの影響を受けていた。彼女がこの分野に足を踏み入れたのには二つの理由があって、その一つは八歳年上の台湾人のボーイフレンドが、若い頃学生運動に参加したことがあるからということだった。でも、そのボーイフレンドは司法試験を目指すことになり、ちゃんとした仕事もするようになって、学生運動とは別のルートで自分の理想を実現しようとしている。博芸の目には彼はインテリな感じに映るのに、博芸が当初過激なものだというステレオタイプな印象を持っていた学生運動に、なんとその彼が関わっていたということで、興味を持つようになったらしい。ちょうど反メディア独占運動が盛んだったときで、博芸は実際に運動に参加することでボーイフレンドの若い頃の考え方を理解したいと考えたという。このロマンティックな説明は博芸自身が語ったものだが、わたしは本当の理由だとは思えなかった。ありえなくはないけど、主な理由ではないのかもしれない、と。

どうしてかというと、博芸は中国で高校に通っているときにすでに、政治に関心を持っていたから。のちに映画『私たちの青春、台湾』で彼女の読書日記を撮ったときに、すでに天安門事件のことが書いてあった。なぜ政治に関心を持つようになったのか質問したら、当時失恋して他にすがるものがなかったからと言っていた。でも、その答えもどれほどの信憑性があるのかわから

3 **小白宮〔リトル・ホワイトハウス〕問題** 台湾北部の新北市淡水区にある小白宮の取り壊しに反対する運動。小白宮は、かつて淡水税関の建物として使われていたもので、白亜の洋風建築という外観からそのように呼ばれていた。

ない。博芸の高校はわりと開放的な校風で、同級生たちとも政治の話題で話すことがあり、もともとこの方面に関心があったようだから。そんな背景があるのに、どうして台湾に来たばかりのころは社会運動にステレオタイプな印象を持っていたというのだろう。原因はもしかしたらわたしと同じだったのかも。つまり、溝を感じて入りづらかった、とか。

その後、淡江大学に異議申し立てを行うソーシャルグループ「五虎崗社（ウーフーガンショー）」ができ、博芸も参加し、創設メンバーの一人となった。博芸は反原発デモに参加し、淡江や淡水付近の地区の問題に関心を持ち、ローカルな運動から参加しはじめた。そうした経験によって、マスメディアでスローガンを叫んでいるのが何秒か流れる背後には、不可欠な多くの努力が隠れていて、フィールドワークをして事件の詳細を把握するといったプロセスを経ていることに気づき、博芸は社会運動の別の側面も認識しはじめた。そうやって博芸は新たな見方を持つようになり、衝突を生み出すかのような行為が悪いことだと決まっているとは思わなくなった。なぜなら、マスメディアで多くの人の注目を集めようとするなら、目立つための衝突も必要悪だから。博芸は本当にのめり込む性格で、関心のある問題にはいつも深くまでのめり込み、すぐに切り替えることはできない。この点は、陳為廷とはまったく違う。

博芸を撮ろうと決めてから、わたしと陳為廷の関係には微妙な変化が起きた。わたしは為廷だけを撮り続けていたので、為廷はわたしを専属のカメラマンのように思っていた。実際は彼の専属ではなく、為廷だけを撮っているのではなく、ドキュメンタリーを撮っているのだと、しばしばみんなに説明する必要があった。でも、為廷がそう思うことは、わたしにとってはうれしいことだった。それはある程度、撮影対象からの監督への信頼を意味していたから。でも、わたしが博芸も撮るようになると、為廷に注意を向ける時間は少なくなってしまった。しかも、博芸を追った三〇分のパイロット版の短編『我在台灣、我正青春［I am in Taiwan, and I'm so young］』[4]が、新北市ドキュメンタリー映画賞を受賞し、為廷はいくらかそのことを気にしていた。

新北市ドキュメンタリー映画賞は特別で、一般的な補助とは違い、賞金を出し、補助対象にはパイロット版の提出を求めるだけなのだけれど、完成した作品はインターネット上で一年間公開することが求められる。応募者は企画書と三分以内のビデオクリップを用意するだけでよく、審査委員会は一〇作品を選び、それぞれに二五万台湾ドル[5]を支給する。この一〇作品は半年以内に完成させなくてはならず、すぐれた三作品には別途賞金が与えられる。

博芸を撮影していたとき、わたしはしばしば矛盾した状態におちいった。ある面では、台湾に対して友好的で、台湾人よりも台湾のことを気にしている中国人がいることを、みんなに知ってもらいたかった。台湾社会にはある種の広く潜在的な反中の雰囲気があるのは知っているが、博芸のような中国人が台湾で非友好的な対応に直面するのは受け入れがたかった。別の面では、博芸のような理念を宣伝したいと思うときに、わたしの表現レベルはかなり抑制せざるを得ず、万一ある場面が博芸に良くない影響を与えたらどうしようと心配してもいた。それは誰かが

4 **『我在台湾、我正青春』** 原題は「私は台湾にいて、まさに青春を過ごしている」という意。蔡博芸の著作のタイトルとして『台湾で過ごす青春』と訳出してある。

5 **台湾ドル** 二〇一三年、二〇一四年ころの為替レートは、一台湾ドルが三・五円前後であった。

わたしに警告したとかではなく、実際に交流のあった大陸出身者から受けた印象による。たとえば、天安門事件と関係する話題に触れるだけでも危険だというような。とりわけ博芸が作品中で劉暁波(リウ・シャオボー)[6]のお面をかぶっているところなどは、特に危険なことだとわかっていた。

それに対して、博芸はわたしより勇敢で、そんなに心配することはない、どのように処理するかは編集のときに相談すればよく、セルフセンサーシップは必要ないと、いつもわたしに言っていた。自分も文章を書く創作者であり、セルフセンサーシップがどれほどつらく、創作に大きな影響を及ぼすかを知っており、「紅筆(ホンビー)」にはなりたくないと言った。「紅筆」とは、言論検閲の責任者のことだという。

わたしは最初の三〇分バージョンの編集が終わると、すぐに博芸に見せた。博芸もボーイフレンドも気に入ってくれた。実際、あぶないところは博芸が天安門事件の記念活動に参加しているところばかりではなかった。映画の中で、ある人が博芸に、「ずっと台湾の市民運動に参加していて、中国でブラックリストに載ったりしないの?」と質問している。博芸の答えは、「もし時の政権がわたしを自分の国に帰国できないようにしようとしても、なんとか方法を考えて帰国しようとするだろう。わたしは永遠に中国人だから」というものだった。博芸は政権や国家、人民というものを非常にはっきりと区別していたが、それは彼女たちにとって最もデリケートな話題だったからだろう。でも、この会話は最後まで映画の中に残しておいた。博芸のボーイフレンドは危険ではないかと考えたようだが、先に話したように、博芸は自分が「紅筆」になることを望まなかったので、わたしもそのままにした。

その後、この作品は新北市ドキュメンタリー映画賞でグランプリを獲ることになる。——でも、映画賞の結果が出る前に、映画はヤフーのストリーミングサイトで、再生回数が一〇万回を超え、蔡博芸は超有名人になっていた。それ以降、博芸が社会運動に参加すると、みんな彼女が博芸だと気づくようになった

授賞式には博芸も出席し、わたしは彼女を一緒に登壇させ、いくつかのメディアも報道した。そのときから、わたしは博芸の身辺を心配するようになった。もしおおっぴらに話が伝わったら、彼女がどうなってしまうのか分からなかった。わたしはとても戸惑っていた。受賞がメディアで報じられることで、このドキュメンタリーが多くの人の注目を集め、前にも言ったような、台湾に友好的な中国人を台湾人に見せたいという当初の目的を達成できるとも思った。でも、その一方で、この作品があまり多くの人に見られることが適切ではなく、博芸が将来的に政治的な試練に直面することにつながるのではないかとも感じていた。授賞式で、わたしは二人とも本当に困難な状況にあると感じ、泣いてしまって、その際に「将来わたしたち二人がともに無事でありますように」と言ってしまった。そう言ったのも予防線で、心の中で中国政府に訴えていた。蔡博芸のことは報道されている以上、もし本当に何かが起こったら、注目を集め議論を呼ぶような事態になりますよ、と。

6　**劉暁波**　一九五五〜二〇一七年。民主化運動・人権活動によって何度もくり返し逮捕・投獄された。二〇〇八年「零八憲章」起草に関わり逮捕・投獄されるも、二〇一〇年獄中にあってノーベル平和賞を受賞。劉暁波や彼に関係する事項は、中国政府にとって最もデリケートな話題の一つである。

作品がヤフーのストリーミングサイトで公開されていた期間、わたしはサイト側と相談して、アクセスのＩＰアドレスは台湾に限定して、他の国からは見られないようにすることで、博芸を守ろうとした。でも、結局この映画によって博芸に何か起こることはなく、もちろん帰国するたびに関係機関から「お茶に呼ばれる」〔公安に呼び出される〕ことはあっても、この映画やそれに関する問題によるものではなかった。それでわたしもさらに大胆になった。

二〇一三年五月、反メディア独占法が成立しようとしていたころ、陳為廷はすでに熱も冷め、何も面白いことがないといった状態だった。買収案も取り下げられ、蔡衍明（ツァイ・イエンミン）も手を引き、どこを攻めたらいいかわからなかったからだ。当時の為廷は若く血気盛んで、突撃することばかりを考えていた。でも、法案審議をチェックする三日間の時間は長く退屈で、ヒマな時間に博芸のドキュメンタリーについて話が及び、為廷は「作品は良かったけど、ちょっと焼いちゃうよね」と言った。為廷が「やきもちを焼く」という言葉を使ったかは忘れたが、だいたいそのような意味――なぜ自分が主役ではない映画がこんなにも話題になっているのか、ということだった。為廷がそう言うのを聞いて、わたしはちょっとうれしくなった。その期間の密着取材がわたしの片思い的なのめり込みではなく、為廷のほうも実際のところ気にかけていたということを意味していたから。似たような状況は博芸のほうでも起こった。ある時期わりと頻繁に為廷を撮影していると、博芸はがっかりした感じをそれとなく伝えてくることがあった。こうした感覚はとても繊細で、わたしがカメラを持って二人を撮影するのは、ドキュメンタリーを作るということだけではなく、ある種の愛情を持つことでもあるみたいだった。二人を撮影する回数が増えれば増えるほど、二人に惹きつけられ、より二人を理解したいと思い、二人がわたしをどのように見ているのかも気になった。そこにはちょっと密やかな想いもあり、同時にわたしはえこひいきをしない母親のようでもあった。

わたしの中国体験

わたしの初めての訪中は、大学のときに参加した両岸青年交流サマーキャンプで、いまにして思えば、あれは統一戦線活動[7]だったのだろう。主催者はわたしたちを天壇や故宮といった偉大な中国文明の史跡に連れて行きたがっていた。それ以外にも宴会が多く設定されていた。壇上に上がって両岸交流がどんなにすばらしいか持ち上げる人たちもいた。当時はその意図には気づかなかったが、功績や偉業ばかり見せに連れて行かれるのがとても嫌だった。

そんな感じではあったが、驚いたこともあった。わたしのステレオタイプなイメージの中では、中国は共産主義国家なので共産主義的な制度や生活方式を目にすることができると思っていたが、実際にはすでに資本主義が花盛りなようすで、台湾と似たようなもので、いたるところにマクドナルドとスターバックスがあり、特別なところはなかった。一緒にいた友人たちは、それを「中

7 **統一戦線活動** 目的達成のために、立場の違う国や組織の構成員に接近し、協力者として取り込もうとすること。

国の特色ある社会主義」と呼んでいた。

そのときの交流団は主に北京と上海を訪問し、都市の風景ばかりを目にした。大学院のときに先生と学生たちで雲南に行き、「雲之南紀録影像展［YUN FEST］」[8]に参加してはじめて、台湾との違いを明確に感じることになった。

「雲之南紀録影像展」は、わたしたちが行ったときにはすでに中国政府の干渉に遭っていた。もともと雲南省の省都・昆明で開催される予定だったが、政治的な理由でさらに内陸深い大理に移動するしかなかった。映画祭は古城の城壁の上で行われ[9]、目立たなくしていたけれど、そうやってこっそりと映画を見るのも逆に刺激的ではあった。そのとき、中国政府の専制的な一面を初めて実際に経験することになった。その旅では、やはり現地の中国人と本当に深い交流をすることはなかったが、わたしは雲南という場所が気に入った。北京や上海に比べて、雲南は空気もいいし、人々も友好的で、強国人［中国人］の傲慢さのようなものもあまりなかったから。

次に中国に行くのは、CNEXに応募したときになる。

CNEXという団体が目指すのは、ドキュメンタリー映画を国家のアルバムのようにすることで、毎年一回企画コンペを開催して、その時どきの状況にからめて、より多くの見方を引き出すような問題を見つけ出し、毎年の募集テーマを決めていた。この団体は三人の台湾人――張釗維（ジャン・ジャオウェイ）[10]、蔣顕斌（ジアン・シエンビン）[11]、陳玲珍（チェン・リンジェン）[12]が始めたもので、文化交流という方法を通じて、より多くの中国人に台湾を理解させ、台湾人にも中国で起こっていることを知らせる機会を与えるという趣旨だ。

わたしと比較すると、大学院の同級生たちは比較的明確な反中意識を持っていて、彼らとて中国には行くし、中国の映画関係者と交流はするけれど、CNEXのような全華人世界の組織を標榜するようなところは、中国資本の援助があるのではないかと勘ぐりがちではあった。そういうこともあって、北京で行われた企画コンペの会場には、台湾人はわたし一人だった。当時わたしはこの方面の意識や敏感さに欠けていて、このことを深く考えようとはしなかった。

二〇〇七年、わたしは初めて誠品映画館[13]でCNEXの映画祭を見た。テーマは「開眼見銭［目を開けたらカネがある／"$" Productions］」だった。当時は中国のドキュメンタリーを見られるのは貴重な機会で、李軍虎[14]（リー・ジュンフー）監督の『父親［原題同じ／Brave Father］』に強い印象が残った。わたしは大学院でドキュメンタリーを学んでいたが、当時ドキュメンタリーが公開上映される機会は

8　**「雲之南紀録影像展［YUN FEST］」**　当初、雲南省昆明で開催されていた、インディペンデント・ドキュメンタリー映画祭。

9　**映画祭は古城の城壁の上で行われ**　大理古城の城壁の上にある楼閣のようなところで上映が行われたという。

10　**張釗維**　一九六六年生まれ。清華大学歴史研究科を卒業後、英国留学。ドキュメンタリー映画監督、文化評論家。CNEXのチーフ・プロデューサーを務める。

11　**蔣顕斌**　一九六九年生まれ。台湾大学卒業後、米国留学。企業家、プロデューサー。新浪（sina）の共同創立者で、CNEX主席。

12　**陳玲珍**　銘伝大学管理学部卒業。外資系コンサルタント会社に勤務した後、大学でマネージメント関係の教育に携わる。CNEX最高執行責任者（COO）。

13　**誠品映画館**　台湾の大型書店チェーン誠品の映画館。誠品電影院。

14　**李軍虎**　一九七七年生まれ。西安美術大学卒業。陝西電視台国際部所属、ドキュメンタリー映画監督。第二八回（二〇〇六年）東京ビデオフェスティバル優秀作品賞受賞作『生于一九七七（Born in 1977 – The Generation of the 1970s）』などの作品がある。

多くなかった。その上映でCNEXという団体を知り、『破報［Pots Weekly］』[15]に企画募集の広告が出ているのを見て、すぐに企画書を書きはじめ、応募の準備をした。

二〇〇九年一〇月、わたしは初めてCNEXに参加してプレゼンをした。当時はリーマン・ショックが世界を覆い、映画祭の二〇一〇年のテーマは「危機と転機」になった。わたしは短編部門に参加したため、尺を長くとることはできず、金融危機のなかでの台湾のちょっとした面白いできごとにフォーカスする必要があり、『百万格子小富翁［Millionaires in Check Fun］』[16]という短編で応募し、当時突然流行しだした、一軒の小さな店舗の中に、多くの格子棚を設置し、ひとつひとつのスペースを違う人に貸し出すという小売店舗の経営モデルを扱った。多くの人が経済的に不安を感じていたので、少ない費用で大きな利益を出したいと考えていて、「格子趣［おたのしみ格子棚］」のような店が次々とできていた。

以前『鏡よ、鏡』を撮影したときに、妹がカメラに映ったが、顔を見せたくないというので、かぶり物を用意し、丸い投票のマークのような形にした。それよりも前に七年級世代［一九八〇年代生まれ］[17]を取材した『蘇格拉底草苺論』[18]という別の作品を撮り、それがわたしの最初のドキュメンタリー映画だったのだけれど、妹も主要人物の一人で、そのときも妹にはいちごのかぶり物を作ってあげた。それで、わたしが『百万格子小富翁』を撮るときにも、妹が、「かぶり物を作らないでお姉ちゃんの作品と言えるの？」と言うのだった。そんなわけで、わたしの代表作とも言える格子棚のかぶり物を作った。アピールしておきたい点は、中学の家庭科の時間にいちばん得意だったのがまつり縫いだったので、そのテクニックを活かして縫い目を美しく仕上げたことだ（のちにブライダルフォトを撮るときにも、夫にそのかぶり物をかぶってもらったほどだ）。

そうして、わたしはその自分で作ったかぶり物を持って北京へと向かった。わたしはとても緊張していて、どのようにプレゼンすれば、私のこの作品を撮りたいという熱意が伝わり、資金援助をしてもらえるだろうかということばかり考えていた。わたしは口下手で、ふだん話をしているときはまだいいけれども、ひとたび壇上に上がると、頭の中が真っ白になってしまう。それに加えて経験がないこともあり、一五分間のプレゼンに、三〇枚ものパワポスライドを準備してしまった。半分ほどまで話して、わたしはそのかぶり物をかぶり、審査員の表情や反応から、面白がっていることを感じ取り、わたしが真剣にこの補助金を勝ち取りたいと思っている気持ちを感じてもらえたと思った。

あとで審査委員から、「何を言っているのかまったく理解できず、ラップでもやっているかと思ったよ！」などと言われるとは思ってもみなかったけど。

あのときの訪中の経験はとても楽しいもので、出会った人たちも友好的で、審査委員もそうだった。それと同時に、出会った中国人たちはみな自分の考えを持っていることに気づき、それ

15　**破報［Pots Weekly］**　台湾で発行されていた無料の週刊新聞。二〇一四年に停刊。

16　**『百万格子小富翁』**　タイトルは「たくさんの格子棚とそれで儲けたちょっとしたお金持ち」という意味。

17　**七年級世代［一九八〇年代生まれ］**　台湾で、民国七〇年から七九年、すなわち西暦一九八一年から一九九〇年生まれの世代を指す言葉。

18　**『蘇格拉底草苺論』**　正式な英題は不明。ソクラテスいちご論、という意味。七年級世代（一九八〇年代生まれ）は、見た目はキラキラ輝いているが、中身は傷つきやすいという意味で、「いちご族（草苺族）」と呼ばれる。

もあって後日また応募したいと思ったのだった。短編でのチャレンジはしたので、次は長編で挑戦しよう、と。次の回のテーマは「青春と公民」で、わたしは『青と緑の対話実験室』で応募したが、このテーマは完全にわたしのために設定されたようなものだと感じていた。わたしが注目していたのがまさに若者と政治についてだったからだ。当時はその企画を『鏡よ、鏡』の続編と位置づけていたため、応募した作品名は『鏡よ、鏡2：青と緑の対話実験室』だった。プレゼンのとき、雰囲気がとても良く、補助金を得ることができる予感がしていた。でも、あとで補助金獲得者のリストが発表されると、わたしは入っておらず、とてもびっくりしたし、つらかった。いまに至るまで、わたしは落選の理由がはっきりわかっていないけれど、確かめにいくこともしなかった。

ただ、CNEXのメンバーの中にもわたしの企画を気に入ってくれた人はいて、たとえば賀照緹（ホー・ジャオティー）監督はわたしの考えに賛同してくれて、彼女も国民党支持者と民進党支持者の対話を促進するような仕事がしたいと考えていた。たとえ賀監督がまったく国民党を受け入れられないとしても、わたしにこの企画を完成させ、社会に対話をもたらしてほしいと望んでいたし、それでよくわたしを助けてくれた。

当時、文化建設委員会（現在は文化部に昇格）には建国百年の特別プロジェクトがあり、CNEXを応募団体として、わたしが資金の獲得を目指すことになった。わたしたちは功績や成果を褒めちぎるような建国百年についての議論はきっぱりと棄て、国民党と民進党の対話という観点からの企画で、建国百年の民主への道のりをふり返ろうと考えた。その後完成したものは短縮版に編集してテレビ放映され、その中でいわゆる「建国百年」をふり返っている——台湾の一部の人は、「建国百年」が国家の百歳の誕生日だと思っているけれど、別の台湾の人たちにとっては、台湾の歴史は百年などとっくに過ぎてしまっているわけだけど。いずれにしても、この企画はすんなりと補助金を得ることができた。

実のところ、CNEX内部において、二人のCEOの支持政党は、経歴や家庭環境の関係もあって国民党陣営に向かいがちだったが、国民党支持者と民進党支持者の対話にはある程度オープンに受け入れる姿勢を持っていた。その後CNEXの助けもあり、その作品を中国西寧の映画祭に応募したところ、なんとノミネートされ、わたしはとても驚いた。驚いた理由は、実際に交流した経験から、大陸出身者は政治を語りたがらないと感じていたからで、統一とか独立とかに関わるテーマではなおさらだと思っていたからだ。

二〇一三年七月末、わたしは青海省西寧に飛び「西寧FIRST青年映画祭」に参加した。それはとても新鮮な経験だった。FIRSTの活動は非常に大がかりで、大きな施設のコンサートホールが会場で、バックステージにはメイクアップルームまであり、わたしにとっては初めての経験で、レッドカーペットも歩くことになっていた。でも、わたしはレッドカーペットを歩かなかった。なぜかと言うと、こんなにも大規模だとはまったく思っておらず、ろくな衣裳を持ってきていなくて、ちゃんとした格好もしていなかったので、そのままレッドカーペットに上がったらみっともなかったからだ。

わたしはバックステージからSNSに投稿した。「はるばる青海まで来て、ものものしい映画祭の授賞式に出席するのに、化粧までさせられたけど、しばらくしたら国籍が「中国台湾」とされていることに意見を言うチャンスが巡ってくる［受賞する］ことを祈っている」。実際のところ、そのときはっきりと立場を示すほど勇気があったわけではなかったけれど、自分が使命を負っていると感じていて、それは実はある種のプレッシャーでもあった。出発前に、為廷と話したときに、この映画が中国の映画祭でノミネートされたけど、国籍は「中国台湾」だった、と伝えた。為廷は、「それは抗議しなくちゃ！」と反応した。

わたしは、「でもしょうがないじゃない、国籍の問題はいつもこうでしょ？」と答えた。

「何か方法を考えなきゃ、横断幕を出すとか」

「わたしはそういうタイプじゃないから」と、わたしは答えた。

為廷は、「それは関係ない、何とかしないと」と言うのだった。なぜだかわからないけれど、わたしは何かしないと、為廷に申し訳ない気がしていた。為廷をがっかりさせたくないという感じで、自分の国籍に関してごまかしてやり過ごしてはいけないと感じるようになった。ちょうど為廷が中国に入国するときに、必ず外国人入国カードを書き、決まって外国人用カウンターに向かうように。以前はわたしも現状がふつうで、自分が中国の公民ではないと心の中でわかっていればいいと思っていた。でも為廷の影響を受け、わたしもだんだんと意識するようになった。「いくつかの問題は、そうやって安易にやり過ごされてしまっているのではないか？　心の中でわかっていると言っても、相手がわかっているとは限らず、こちらが受け入れたものと思われているのではないか？」と。

当時わたしはｉＰａｄは持っていたが、スマートフォンは持っていなかった。ＦＩＲＳＴの授賞式も金馬奨と同じようなノミネート作の紹介映像を準備していたが、わたしは必ずその映像を撮ろうと心の中で決めていた。それはわたしがここに来たこと、本当にこの賞にノミネートされたことを証明するものだ。自分が受賞して登壇する可能性は低いので、この経験を記録に残しておかなければと思っていた。ｉＰａｄを手に持って録画をしているときに、まったく思いもよらなかったことに、司会者が受賞者としてわたしの名前を呼んだので驚いたが、ｉＰａｄをそばの人にすばやく手渡した。幸いその場である中国の監督と知り合いになっていたので、彼女は受け取ってそのまま撮影してくれた。

壇上でわたしは次のように話した。

本当にＦＩＲＳＴ青年映画祭に感謝しています。実際わたしは賞をとりたいとか、登壇してスピーチをしたいとはまったく思っていませんでした。あまり面白くないかもしれませんが、それでもお話したいと思います。わたしは台湾出身で、「中国台湾」という国籍が充てられています。両岸関係は非常に複雑で、多くの時間をかけて対話し、理解し、交流する必要があると思います。大陸と台湾のこじれた関係はそんなに早くほどけるものではないと思いますが、より多くの対話がなされることを心から希望します。いつの日か、一緒であろうと別れてであろうと、みんながお互いを尊重するようになれればと……。

ここまで話すと、フロアが騒がしくなった。「一緒に！　一緒に！」と。

みなさんすみません、わたしは勝手にある名称をかぶせられるのはあまり好きではなく、ご理解いただければ幸いです。ありがとうございました！

舞台から下りて、自分の言い方がとても遠回しだったと思っていたが、なんとわたしに対して、「あんなふうに言うのは危険だ」と言う人がいた。当然、「自分は大陸の人間だが、台湾を支持する」と言う人もいた。それからフロアにいた台湾人は、当初「中国台湾」という名前をかぶせられているのを見て、非常に不愉快だったが、はっきりそれを言う人がいるとは思っていなかったから、すごく感動したと言うのだった。そう言われて、壇上でこのことを話すチャンスが巡ってきてとても良かったと、急に感じるようになった。

一日経って主催者がわたしに電話してきて、スピーチの意図を確認したいと言った。その女性が言うには、主催者に警告をしてきた人がいて、このスピーチはあまり友好的ではないと言ったらしい。わたしはスピーチの意図をもう一度話した。なるほど、誤解していた、その場では別の意味だと思っていたと言われた。彼女は、わたしが言わんとしたのは、「中国は中国であり、なぜ中国台湾と言う必要があるのか？「一つの中国論」」ということだと理解していた。それで彼女はフロアで大きな拍手をしていたのだった。ひとつの言葉に、こんなにもたくさんの誤解の可能性があるとは、ことばの芸術というのはなんと繊細なものだろうと、初めて気づいた。その後彼女はわたしに誓約書へのサインを求め、あのスピーチはわたし個人の見解であり、映画祭の立場を表明するものではないことをはっきりさせ、主催者側は正式な放映の際にはあの部分をカットした。

そのときついに何かを成し遂げたような気がして、みんなに知らせなくてはと、特に為廷に知らせたいと思った。それでネットワーク環境が良くなかったが、動画をアップロードして、コメントを書いた。

陳為廷がそれをシェアしたことで、そのニュースをより多くの人が目にすることになった。大学院の同級生も次々とよくやったと言ってくれて、わたしはなんだか仲間に入れてもらえたようで安心した。

ある台湾メディアが報道したが、このことでレッテルを貼られるようなこともなく、「台独」[19]などと責める人もいなかった。ＣＮＥＸの人たちもわたしのことをよくやったと思っていた。このことでわたしはＣＮＥＸの人たちの考え方が少しわかった気がした。彼らも実は一人ひとりの主体性を期待していて、でもそれをはっきりとは言わず、ゆっくりと変化を生みだしていこうとしているのだと。もしＣＮＥＸ側さえも認めてくれるなら、わたしはなかなかよくやったのだろう、バランスをとれていたのだろうと感じた。

19 **台独**　台湾独立運動の略称。中華民国の支配から独立し、台湾人による国家の建設を目指す運動。一方、中華民国として中国大陸からの独立を目指す運動は「華独」と呼ばれ、またこれらの独立運動に対し、中国大陸との統一を目指す人々は「統派」と呼ばれる。

わたしは別の映画祭にも参加した、大連で開かれたものだ。

この映画祭はもともと南京で開かれていたが、上映された作品がデリケートな問題に触れていたため、干渉を受けつづけ、映画祭の開催地もだんだん遠くに移っていっていた。大連の印象はとても良く、街並みには異国情緒があり、ヨーロッパに来たかのようだった。中国のそれぞれの都市は確かに雰囲気が違っている。大都市の大半は似ているかもしれないけれど、地理的な要因が大きな雰囲気の違いを生んでいる。でもそれはそれとして、わたしは決して印象が良いからと言ってこの国に憧れたり、自分がこの国家の一部分になりたいなどとは思わない。

実際のところ、この映画祭で『青と緑の対話実験室』を上映するのは危険だった。映画祭がすでに政府の干渉を受けていたからで、かなり神経質になっており、それもあってカフェで上映をしていた。ドキュメンタリー映画は当局の基準に触れてしまいがちで、中国四大「地下」インディペンデント映画祭†はしょっちゅう当局の干渉を受けていた。映画の中に何も政治的理念を訴えるようなものがなかったとしても、当局が何らかの反対勢力と結びつきうるようなものがあると考えれば、すぐに問題になった。たとえばその前に北京でCNEXに参加してプレゼンしたときに、「北京インディペンデント映画祭」とコンタクトがあった。その映画祭はもともと比較的大きな会場で開催していたけれど、電気を止められるという目に遭い、「栗憲庭基金会」[20]に逃げ込み、小さなスペースで続けるしかなかった。

大連の映画祭も同じで、カフェでやっているとはいえ、やはり騒ぎを起こす人がいるのではないかと心配し、スピーチするときには注意しなければならず、ある一線を超えてはならなかった。

結果はまずまずで、わたしは統一か独立かの問題に言及したけれども、わりと穏やかな態度で「対話」について話したので、無難に乗り切ることができた。

中国と香港への旅

『青と緑の対話実験室』の続編の企画を考えていたころ、わたしは国家文化芸術基金会［国芸会］の補助を申請した。国芸会の補助には二種類あり、一つは個別案件補助で、もう一つは活動経費補助だった。活動経費補助は最大で五、六十万台湾ドルで、個別案件補助は最大一五〇万台湾ドルだった。わたしは現実的で、自分の経験が豊富とは言えないのをわかっていたので、個別案件補助に応募することはせずに、活動経費補助への申請を選択した。計画書を提出し、予定製作期間は四年、二〇一二年から二〇一六年までで、まさか採択されるとは思っていなかったが、三八万の補助を得ることができた。でも三八万に頼って四年間やりくりすることは不可能で、同時にいつも予算や資金のあてを探していた。まず段階的に短編を作って新北市ドキュメンタリー

【原注】† **中国四大「地下」インディペンデント映画祭** 北京・南京・重慶・雲南の四都市で行われていた映画祭を指す。

20 **栗憲庭基金会** 美術評論家である栗憲庭の呼びかけに応じた芸術家たちから寄せられた資金をもとに設立され、北京市通州区宋荘に事務所を置き、作品アーカイブや上映施設も備え、中国インディペンデント映画の活動の拠点となっていた。

映画賞に応募したのも、そうした事情によるものだった。創作者にとって、それが良いことなのかどうか定かではない。予算を獲得するために、わたしはいつも自分でもまだまとまっていない、そんなに良くないと思うような経過報告的な成果を出しては、作品を完成させるまでの予算と引き換えにしていた。わたしがいつもの二人を利用しつづけていると感じていた人さえいただろう。でも一方では、このようにするのにもプラスの効果もあり、二人の撮影対象がその経過報告的な成果を通じて、わたしがどのように二人を見ているのか、どのように映像を扱っているのかを知ることができ、そうしてより深い信頼関係を生みだすことができた。いずれにしても、補助金三八万を頼りにして、二度の新北市ドキュメンタリー映画賞の賞金それぞれ三三万と二五万を加え、最後に受賞したときの一〇万とを合わせて、全部で一〇六万台湾ドル、これで最終的に四年間で支出超過になることはなかった。

国芸会に申請して得た三八万のうち、二〇万近くは陳為廷や蔡博芸たちとの中国・香港行きに使った。その旅行の時期は二〇一三年七月で、わたしが西寧の映画祭に参加する前のことだった。反メディア独占運動が一段落して、わたしは為廷を訪ねて、その旅行の構想を伝えた。「呉介民(ウー・ジエミン)先生が主張する台湾・香港・中国の公民社会に賛同して、それを試してみたい。実際に香港と中国に行って、それをひとつの実験にしてみたい」と、わたしは言った。呉先生の理論については、為廷はわたしよりも詳しく、とても興味を持ってくれて、中国に行ったことがなかったこともあり、中国を見に行くという提案を断ることはなかった。

為廷はまず王丹(ワン・ダン)に電話をかけた。反メディア独占運動からある程度名前が知られるようになっていたので、どうしても中国に行って何か起こらないか心配したからだ。気をつけたほうがいい、何かが起こらないとも限らないが、でもいずれにしても、まず台胞証[21]の手続きをしたほうがいい、と王丹は言った。台胞証の審査はひとつの試金石で、もし審査が通れば、何かが起こる可能性は低い、とも。結果的には台胞証は順調にとれ、為廷はちょっとがっかりしていて、影響力がまだそれほどでもないことを表している、と言うのだった。でも、これで少なくともわたしたちは中国に行けることになった。

次の問題は、誰と交流するかということだった。やはりわたしも為廷も知っている共通の友人の何人かにまずは連絡したが、大半は「北斗網」の人たちだった。このウェブサイトは、二〇〇八年五月にできたもので、中国各地の大学生（台湾の学生も何人かいるかもしれない）が自主的に管理運営する思想プラットフォームだった。時事評論を行っていたけれども、論調はとても穏やかで、「青年による自己啓蒙」を標榜し、文化や日常のことをテーマとしていた。

刀哥は北斗網の重要人物だった。刀哥には中共のスポークスマンぶった感じがあると為廷は感じていた。でも刀哥は本当に多くのことを知っていて、人脈も広く、その点は確かにすごい。北斗網は中国の各都市に連絡のとれる人がいて、それぞれの場所に、文章を書き時事評論をするメンバーがいた。そのため刀哥はわたしたちに、どこに行っても、仲間が出迎えることができると

21 **台胞証**　台湾居民来往大陸通行証。台湾の人が中国に入る際に必要になる証明書。

言った。そうしてルートを考えはじめ、合計一四日の日程で、最初の四日は香港、後の一〇日は中国となった。刀哥はわたしたちがもっと多くの場所に行くことを期待していたが、その理由は中国があんなにも大きく、それぞれの土地の特色があり、沿海側の都市だけでもさまざまだし、もし内陸まで足をのばせば、そこにもまた別の風景があるからということだった。でもやはり本当にそんなに遠くまで行くことは無理で、行っておかなければいけない場所をいくつか選んだ。

　最も代表的な北京と上海は必ず行くことにしたが、特に為廷は初めての中国だったので、この二都市は外せなかった。蔡博芸の実家は浙江省の湖州で、上海から遠くなく、移動の経路上で立ち寄りたかった。それから、香港から中国本土に行くには、必ず広州を通るが、広州は刀哥の地元で、はっきりともの申すことで知られるメディア『南方週末』も広州にあり、見ておかなければと思った。最後に、刀哥によれば厦門(アモイ)は台湾によく似ているということで、やはり見ておきたかった。ということで、行程は、香港・広州・厦門・湖州・上海・北京となった。

　たった一〇日間で、これらの都市を回らなければいけないのは大変だった。同行者の女の子のひとりはひどく環境が合わず、何日も顔が腫れていた。その女の子のことは、『私たちの青春、台湾』の上映後、多くの人が「あの子は何者？　陳為廷の彼女では？」と不思議に思っていたようだ。ぜんぜん違うのだけど。

　もともと過激な台湾独立派である陳為廷のほかに、為廷とは考えが正反対の林家興(リン・ジアシン)に同行の招待をしようとも考えていた。でも彼はちょうど用事があって、それでその女子学生を紹介してくれた。その女子学生はかつて国民党青年団の団長選に出たこともあり、政治的な面で理想や志を持っていて、しかもちょうど中国政法大学へ交換留学していて、一人分の航空券代を節約することもできた。残念なことに、映画の尺の問題で彼女を充分に紹介することができなかった。それにわたしが為廷を撮っているときに、そばにいるその女子学生はどうしても画面に入ってしまい、ずっと誤解をそのままにしておくほかなかった。もともと、考えが正反対の人と一緒に行こうと思ったのは、議論をする中で何か共有できることがあるか見たかったからだったが、全行程を通して彼女は能動的な主張をあまりしようとはせず、現地に行ってからは、いつも為廷が中国や香港の学生たちと意見を交換していた。

とはいえ、彼女に自分の主張がないわけでは決してない。為廷は北京で二・二八事件を記念するTシャツを着て、手で六と四を意味する仕草をし中指を立てて写真を撮っていた。それに対して、その女子学生は中国で六月四日を迎えたときに、天安門事件を記念するロウソクの写真を持ち、こっそりスマホを忍ばせて、安全検査を通過し、天安門の楼閣に登って自撮りしてきたという。為廷はその女子学生をたいした人物だと感心していた。

陳為廷と中国の学生との話はいつも『第三の中国イメージ』〔呉介民著〕から始まり、中国の学生と交流する意義がとても大きかった。わたしたちと会った人は、基本的にはみんな反体制意識を持っていたが、その反抗は穏やかなもので、台湾のように街に出たり公的機関を占拠したりというものではなかった。中国の人たちはむしろ、街に出て抗議するのが有効だとは限らない、理性を忘れ感情に流されるからと言うのだった。彼らのようにネットや活字で、目立たない方法で力を蓄える、細く長い流れのほうが良いのだ、と。

わたしたちは広州で『南方週末』のオフィスに行き「南方」系列で長く仕事をしているベテランに会った。為廷が『第三の中国イメージ』や反メディア独占運動について話したときに、そのベテラン社員は言葉の端々から「そんな必要があるのか？」という戸惑いを見せた。民衆には見たものを判断する能力があるものだと考えていた。

それぞれ違う人たちと何度か話す中で見えてきたのは、双方の境遇の開きがあまりに大きく、中国人が対抗しなければいけないことが、わたしたちとは完全に違うということだった。彼らが対抗しなければいけないのは公的機関からの圧力であり、重要なのはメディアが報道することで大衆に見せることだ。わたしたちはもともと自由にさまざまなことを論じることができ、いま直面しているのは別の形の民主に対する挑戦、すなわち特定の立場を持つ独占的メディアが、情報が公平でオープンに報道されるのを破壊していることだというのを、中国の人々は理解することができなかった。

中国人と交流しているとき、中国の人々に、ある種の内在的な矛盾があることを感じた。中国内部のことについては、中国共産党の勢力は恐ろしく強大だと思っている反面、外に向かって中国を語るときには、愛国心がメラメラと燃え上がり、中国はそんなに恐ろしいところではなく、中国をそんなに悪く考えないでほしいと思っているようだった。こうしたことは実際のところ蔡博芸にもはじめからあって、自分の子どもは自分だけが叱れるという理屈に似て、もしお前たちがうちの国を悪し様に言うなら、そっちだって何も褒められたものではないだろう、という感じだった。

厦門では、為廷はある若者と建物の屋上でおしゃべりをした。その若者は議論の途中で、何をやってもどうにもならない、結局この世界は資本をめぐって動いているんだと言い、「台湾ではそんな運動をして本当に役に立つのかな?」と質問をした。為廷は答えて、「それはちょっと虚無主義的だな、そんなにニヒルになるなよ」と言った。その若者はちょっと考えて、いくらか落ち着いて、「本当にそうだ、ちょっと自分が嫌になってしまって」と答えた。このやりとりで、彼らにまた何らかのアクションを起こすよう励まそうという気持ちが、為廷には思わず湧いてきたのだった。

この議論はとても良い感じで、異なる政治体制下での、双方の若者の態度を体現していて、もともとは『私たちの青春、台湾』にもシーンを入れていた。でもそのシーンを当事者に送って見せたときに、その屋上の若者は削除を希望した。ひとつには彼が現在国営企業で仕事をしているため、そのシーンを心配したからで、もうひとつには現在の彼の考え方が当時とは異なっているからということだった。それでそのシーンごとカットするしかなかった。

その若者はもともと厦門の数少ない地下組織に属していて、その組織は実際のところ過激な組織ではなく、むしろ非常に文芸的という感じで、刊行物を読んだり、映画を観たり、音楽を楽しんだりで、ちょっとヒッピーのような感じがあった。とはいえ、地下組織の集会場所は干渉を受けたこともあり、その後人数もだんだん少なくなって続けられなくなった。

正直に言えば、こうした議論は中国の若者たちの活力を刺激するとは限らないもので、むしろわたしたちが彼らの境遇を理解することにつながった。中国の若者たちにとっては、体制に反対するために背負うコストは、わたしたちよりはるかに大きかった。たとえ北斗網のように穏健で保守的な戦略をとり、わたしたちから見れば痛くも痒くもないような文章を書いていても、やはり干渉を受けつづけていた。北斗網の人たちも紙媒体の刊行物を出したこともあるが、あるとき印刷したばかりの何箱かを家宅捜索で持って行かれたこともあったという。

当時北斗網のメンバーたちは厦門で大きな集会を準備していて、中国各地からメンバーが集まってくるところだった。わたしたちは日程の都合で参加することはできなかった。でもわたしたちが厦門を離れる前に、厦門の主催者から、お茶に呼ばれ［公安に呼び出され］、軟禁までされて、宿舎の某所に閉じ込められて長時間訊問され、いくつかの県や市をまたいだところに住む両親たちも厦門に呼び出され、その目的が集会を止めさせることだったと聞かされた。

厦門を出発する日、為廷は刀哥からの電話を受けたけれども、刀哥はすでに厦門に着いたものの、集会が中止させられたことを知り、急いで航空券を買い、よそへ避難するしかないということだった。わたしたちがかつて口先で議論していた強権政治というものが、突然目の前に降りてきたようで、とても現実味のあるものになっていた。北斗網の人たちは、想像していたような何かできそうな人たちではなかったけれども、わたしたちも彼らには勇敢さが足りないなどと責める立場にはない。中国政府にとっては、多くの人が一緒に集まるだけで、デリケートで疑わしいものになり、何かしようとしたわけではなくても関係ない。わたしたちでさえもドキドキしてしまった。厦門では、誰に会うにしても、まず刀哥に連絡したが、彼らを巻き添えにしてしまわないか心配したからだった。

続いて湖州に蔡博芸を訪ねて行ったけれど、これは最も政治的ではない行程となった。博芸はこれまで政治関係の問題を扱ってきた人物ではなく、台湾で大学に通っていて、実際には本格的な中国における政治経験があったわけではないからだ。先に触れた中国の大学生たちがやっているアンダーグラウンドのささやかな反抗にも、博芸は中国では参加したことがなかった。

博芸はわたしたちを連れて南潯（ナンシュン）古鎮に出かけたが、そこには小蓮荘（シアオリエンジュアン）という中国式庭園があった。中は完全に、川に小さな橋がかかる江南の風景だった。入場料がとても高く、一人一〇〇元もした。博芸はこんなにたくさんの入場料を取るのはおかしいと思っていたようだったが、ちょうど庭園の外で入場料逃れのあっせんをしている人に出くわし、その人物は本来はひとり一〇〇元だが、自分と一緒に別のところから入れば、五人で一〇〇元で済むけれども、それぞれが別の入口から入って中で合流することになると言うのだった。

インチキして中に入ったので、庭園の中にはいくつか入場券の提示が必要なところがあったが、わたしたちは入ることができなかった。博芸は入場券を買い直すべきか悩んでいた。本当にまじめなのだ。そうした状況では、抜け道を探す人もいるわけだから。でも博芸の性格は几帳面で、こうした例はどうして博芸がいつも手続きの正当性にこだわるのかを示していると言えるかもしれない。為廷は逆に博芸の横で、「必要ないよ。博芸はまじめ過ぎるんだから」と声をあげていた。このエピソードには博芸と為廷の性格の違いがよく出ていて、もともとはこのシーンを映画に入れていたけれど、作品が長くなりすぎてしまったのでカットせざるを得なかった。

その後、上海に向かったが、やはり北斗網の人に案内してもらった。為廷は、国立清華大学

［台湾］の人文社会学科のTシャツを着ていて、マルクス、デュルケーム、ウェーバーという三人の顔がプリントされていたが、これがなんとお互いの共通の話題となった。為廷は「台湾で社会学をやるにはマルクスは外せず、我々はマルクスの学説を信奉している」と言った。中国の若者はそれに答えて、「我々もマルクスを読んでいる」と。もしかしたら為廷と中国の学生では、それぞれのマルクス理解は違っているかもしれないけれど、彼らがともに信じていることがらから、共通項を見つける試みをすることができた。中国の学生は、わたしたちがシニカルな口調で彼らの国を批判するのになじまないようだった。中国の学生たちと為廷は、ともに共産党のプロパガンダ歌曲で、江涛（ジアン・タオ）[22]の歌唱で知られる「入党申請書」を歌うことができたが、博芸はその歌が何なのか知らなかった。こういう場合、博芸はむしろ中国人と言うにはほど遠かった。わたしたちが接触したのがその手の人たちだったからかもしれないが、たとえちょっとした意見の不一致があっても、目指すものは同じような層の人たちばかりで、わたしたちに対してもとても友好的だった。

　歩いていると、わたしたちは通りすがりの人から話しかけられたことがあった。「台湾から来たのか、それなら台湾ドルと両替してくれよ」と言った。「おー、こんなにたくさんになるのか」と、その人は言い、一〇〇元が五〇〇台湾ドルになるのを知って、すぐにある種の優越感が表情に表れた。

　その人がいなくなってから、為廷は、「これは面白いな、強国人［中国人］の思考方法だな」と言った。わたしたちとおしゃべりしていた中国人の若者は、「一般大衆の考え方はあんな感じで、我々みたいなのはわりと少ないんだ」と言った。

北京では、メディア関係者のX氏に会った。わたしたちが訪問したときに、彼はすでに当局の監視を受け、盗聴もされていて、そのためわたしたちに言行に気をつけるように強く注意をうながした。X氏と実際に面会するのは順調なほうで、為廷はまた『第三の中国イメージ』について話した。X氏は「それは理想的だな」と言ったものの、「しかし、台湾・香港・中国で一緒に何ができるのか、まったく想像できない。本当に思いつかない、置かれた状況が違いすぎるから」と言った。X氏の考えでは、わたしたちができるのはお互いに同情を寄せることで、相手の境遇に共感できれば充分だということだった。

それから、ある北斗網のメンバーも来て一緒に聞いていて、彼が質問したのは、「台湾が政治的な保護者の役割を果たすことはできるのか?」ということだった。「それはできそうにない、自分たちに政治的保護者として何ができるか本当にわからないから」とわたしたちは答えた。

聞いているうちに、わたしたちは、ふとその「北斗網メンバー」の素性がよく分かっていないということに気づいた。X氏はずっとわたしたちにそれとなく、あそこのあの人物は誰かと訊いていた。為廷もそれでちょっと心配になった。職業学生[23]なのではないか、と。わたしは、ようやくこうしたことにも気をつけなければならず、中国では人と人との信頼感が本当にうすいのだ

22 **江涛** 一九六七年、青島生まれ。山東音楽学院卒業。歌手。中国武警文工団所属。「入党申請書」は、二〇〇一年に発表された。

23 **職業学生** 情報機関から金銭を受け取り学生の動向を探っている者。

なと気づいたのだった。

行程全体は平穏無事で、何事もなかったかのようだった。でも、わたしたちが知らないところで、目に見えないうごめきが起こっていたのかもしれない。後日知ることになったのは、監視されていたこともあったということだ。またわたしたちとコンタクトのあった人の中には、後でお茶に呼ばれ［公安に呼び出され］、わたしたちが中国で何をしていたのか訊問された人もいた。それから、中国で鉄道の切符を買うのは実名制で、台胞証が必要だった。その場で鉄道の切符を買うのは不便なので、代わりに買ってもらったけれど、こうしたこともすべて取引記録が残り、当局がつながりを監視する手がかりとなってしまった。

この中国旅行で、出会った人は学生や知識人が中心で、比較的友好的であったけれど、産業界の人たちとはあまり接触できず、その面の観察は欠けている。香港訪問に関しては、わたしたちは七・一デモに参加し、黄之鋒（ジョシュア・ウォン）や香港学連[24]の若者たちと会った。でも二〇一四年九月末に起こった雨傘運動[25]では、リーダーはすでに入れ替わっていて、その前にわたしたちが知り合った人たちは主要なメンバーではなくなっていた。

間に合わなかった三・一八

中国・香港の旅を終えて台湾に戻ったのち、わたしは疲れを感じはじめていた。ある程度のペースで陳為廷と会って話をしていたけれど、この映画をどうやって撮りつづけていったらよいか、ちょっと分からなくなっていた。

それと同時に、わたしもテレビ番組の制作に忙しく、それで得た収入でなんとか生活と映画の撮影を続けられていた。当時わたしは公共テレビで『私の夢アプリ〔原題・我的夢想APP〕』という番組を作っていた。やはり若者を撮ったもので、全部で二六回、一回は三〇分だった。この番組のコンセプトはわたしが考えたもので、気のいい制作会社がわたしと仕事をしたいと言ってくれて、企画責任者というプロデューサーのひとりと言える仕事を任せてくれた。わたしは友人と協力して、それぞれが数回ずつを請け負った。毎回登場人物が三人いて、高校生ひとり、大学生ひとり、社会人ひとりという構成だった。高校生には将来の職業についての夢があるものだけれど、わたしたちは高校生をつれて関係する分野の勉強をしている大学生のところに行き、その後さらにその職業の社会人に会いに行くというものだ。わたしはこの番組を通して、将来の職業を選ぼうとしている高校生や大学生に、早めに自分の将来についてもっとイメージしてもらえるようにしたかった。わたしもこの機会に『私の夢は社会を変えること〔原題・我的夢想是改變社

【原注】† 七・一デモ　香港で毎年七月一日に行われる大規模デモのこと。初めて行われたのは一九九七年だったが、規模は大きくなかった。二〇〇三年に『香港基本法』第二三条の制定に反対にするため街頭でデモを行い、それ以降毎年行われ、民間の人権団体によって主催されている。

24　**香港学連**　「香港専上学生聯会」。一九五八年に発足した、高等教育機関の学生会の連合組織。

25　**雨傘運動**　普通選挙を求めて、香港の繁華街を占拠するなどして展開された抗議活動。

会」』という回を制作し、社会運動に参加している高校生を清華大学の人文社会学科に見学に行かせ、その学部の学生たちの卒業後の進路について紹介した。

同時にこうした多くのことをやっていたので、体力的にも限界があり、陳為廷と蔡博芸の動向を追うのに集中することは難しかった。別の面では、反メディア独占運動が終わりにさしかかり、これ以上何ができるのかが分からなくなってきていたこともある。それまでに募金で集めた資金について、メンバーたちが他の問題に転用するかどうか議論してもいた。当時、反メディア独占運動のメンバーも海峡両岸サービス貿易協定のことに注目していたのだけれども、わたしのほうは多忙なままで、彼らの活動がどれくらい進んでいるのか知らなかった。

そのころ社会運動はますます活発になり、みんなもより強く行政機関の占拠をしたいと考えるようになった。中国から戻ったのち、間もなく「八・一八内政部占領事件」があり、政府のデタラメな土地収用に抗議し、内政部の鉄のゲートを押し開けることに成功し、内政部の入口を占拠した。そのとき、わたしは初めて社会運動の中で鉄のゲートが押し開けられるのを目撃することになった。その日、為廷は遅くになってようやく姿を現した。当時はすでにちょっと名が知られていて、おいしいところだけ持っていくとか揶揄(やゆ)されたくはなかっただろうけど。博芸はちょうど中国にいて、現場に来ることはできなかった。博芸はネットで見て興奮して、自分がその場にいないことを悔しがっていた。あの頃、わたしたちは本当に何かを変えられるのではないかと期待し、それまで以上の成果を出せる活動があれば、すべて自分で参加したいと思っていた。少なくとも、わたしと博芸はそうだった。でも、終わってみると、中途半端で終わっていたような喪失感がどうしても残った。

わたしはちょっと消極的になりだしていた。反メディア独占運動の一環で法案審議をチェックするという名目で、為廷が立法院に突入したとき、他のメンバーに文句を言われていたけれど、わたしも突入ばかりしているわけにはいかないだろうと思っていた。進展も結果もなく、ただ突入しつづけるだけで、本当に何かを変えられるのだろうか、と。突入しては救援を求めているのをフェイスブックで目にするたびに、だんだんとわたしのモチベーションは失われていった。思いもよらなかったのは、そのせいで、あの三月一八日の夜に為廷たちが立法院突入に成功したとき、わたしは現場にいなかったことだ。あの決定的な瞬間が訪れたとき、なんとその場におらず、最も重要なシーンを逃してしまった。あとで本当に悔しい思いをした。もしまったく何が起こりそうかも知らなかったのなら、それは仕方ないけれど、そのとき実はうっすらした予感があり、為廷を追いかけることもできたはずだった。

二〇一四年三月一八日夜、為廷たちは海峡両岸サービス貿易協定反対のための夜の集会を開いた。フェイスブックのタイムライン上に続々と現場の写真がアップされるのを見て、なんとなく今日は事件が起こるかもしれないと感じていた。わたしはあの日夕方に用事があったけれど、夜にもし本当に現場に行こうと思えばできたはずで、勝手に為廷たちは立法院に突入して、どうせまたすぐに警察につまみ出され、いつものように中途半端で終わってしまうのだろうと思い込み、それで行かなかっただけだった。

誰かがネットでライブ配信を始めたので見てみると、メンバーたちは立法院の議場内に椅子の山を築き、警察を外に押しとどめていて、わたしは驚いて呆然とした。わたしは彼らが突入に成功する日を待ち望んではいたものの、本当に成功するとは思いもよらず、結局現場に居合わせなかったのだった。その夜ひと晩中、とても焦って寝つけず、「いま現場に行くべきか？　いま出れば間に合うか？　状況がこんなによくわからないのに、中に入れるのか？」と、考えつづけていた。しかも、わたしは徹夜の活動には参加したことがなく、「現場に行ったところで、何をしたらいいのだろう？」と思った。パソコンの前に座り、ライブ配信の画面を見つめ、二時か三時くらいまで見ていた。結局、「よし、明日の朝行こう」と決心した。でも、朝までよく眠れなかった。

肝心なシーンを逃してしまった後悔は、『私たちの青春、台湾』を編集したとき、初めのほうのバージョンには入れていなかった。ドキュメンタリー映画の監督としてはまったく適切なことではなかったし、こんなにも長いこと陳為廷を撮影していたにもかかわらず、為廷にとって一番重要なところを撮れなかったなどとは、口に出そうものなら笑いものになってしまうと思ったから。さんざん悩んで、これまで自分がこんなにもだらしなかったからこそ、だんだんとわたしが今のようになったのであって、今回のミスと後悔も「わたし」の見方の欠くことのできない一部分であると思いいたった。つまり、わたしのそんな様子も、大衆が社会問題に関心を寄せるときの心理の一端を映し出しているのだろう、と。そういうわけで、自分の当時の無力感やその後の後悔も映画に入れようと決めた。

三月一九日朝、わたしは九時すぎに家を出て、一〇時すぎに現場に到着した。はじめは地下鉄駅を出たらいつもとはまったく違う様子なのだろうと思っていたが、結局何も起こらなかったかのようで、地下鉄の駅もいつもと同じように静かなものだった。立法院に近づいていくと、次第に人だかりが見えだし、現場の状況を観察してみたものの、どのように中に入ったらいいのかは、すぐには分からなかった。

中に入れてもらえない

わたしは行き当たりばったりに立法院の外を歩き回り、できるだけ早く議場内に入りたいと考えていた。その後、唯一の入口が青島東路にあるのを発見した。そこにはハシゴがあって院内にもぐり込むことができる。しばらく観察してみると、あらゆる人が入れるわけではないものの、中に知り合いがいれば、入れるかもしれないようだった。わたしの知り合いは多くなかったし、為廷はきっと忙しいに違いないと思い、わたしはチェック係の人に為廷とは別の友人の名前を告げたものの、どうしてもその友人が見つからず、わたしを入れることができるかどうか確認できなかった。幸いなことにわたしの前に独立系メディアの記者たちが入ろうとしていて、わたしも便乗してドキュメンタリーを撮っていると言って、ようやくその記者たちと一緒に二階のメディアゾーンに入った。その後、立法院の二階に紛れ込んだけれども、現場はとても混乱していたし、はっきりとした指示もなかった。いったい為廷はどこにいるのかと、わたしはずっと探していた。やっとのことで為廷を見つけると、ようやくひと息つけた。

そして、わたしは議場に下りる方法を考えた。多くのルートが塞がれていたので、ずいぶんと労力をかけてようやくうまくいった。でも、為廷はそのときとても忙しく、わたしはやはりすぐに為廷と話をすることはできなかった。うまいタイミングを見つけて、為廷にもやっとわたしが来たことが伝わった。

占拠が始まったばかりで、みんな警察による次の奪還作戦があるのではないかと心配し、どうやって議場を守り抜くかを長いこと議論していた。そんなわけで、そのときみんなと一緒にビクビクしていて、いったいこのような状況で、自分が何を撮るべきかについて考えようもなかった。現場ではさかんにデマが流れ、たとえば誰それが何かを送り届けてきたとか、洗面器や水の中に武器があったとか、あるいは保安警察第五総隊[26]が行動を開始して、警察がどこそこのゲートで動きを見せているとかいうものだ。もちろん、わたしは密かに状況が動くことを期待していて、それはその前のみんなで椅子を積み上げる場面を撮り損ねていたからで、もし立法院をめぐる攻防戦を撮ることができれば、自分も今回の運動に参加したとなんとか名乗ることができるからだった。議場内で起こった唯一の攻防戦には、わたしは間に合わず、その後警察も立法院を奪還しようとはしなかった。

議場内は依然として混乱していて、まだ役割分担も何も行われておらず、誰が何を仕切るのかも定まっていなかった。トイレをどうしたらよいのかさえ分からなかった。なぜかと言うと、トイレも塞がれてしまっていたからだ。後に議場に臨時の小さな空間を確保して、桶を置いてビニールを敷いて、それをトイレとするしかなかった。

わたしが次に為廷と話したときには、現場の分担の原形はだんだんとできあがっていた。為廷はわたしに、「もともとはあんなに混乱していたのに、いまは分担も決まり、物資もあり、すごいと思う」と言っていた。為廷は、今回議場で一緒に活動しているうちの多くが初めて運動に参加する素人で、社会運動の若者によくあるような感情や慣れのようなものがなく、みんなとても熱心で、分担を断るようなこともないと感じていた。

現場での意思決定システムも徐々に形成され、ちょっとした争いも起きはじめていた。「いったい誰が意思決定の責任を負う「首班」になるのか?」と。しかも、すでに分担も決まったからには、会議を開くべきだけれども、「どこで会議をするのだろうか? わたしは会議に参加できるのだろうか?」という問題があり、わたしの場内での最も重要な関心事になった。わたしは隙を見て、「いま何をしようとしているのか?」と為廷にたずねた。為廷はいつも、「とても忙しくて、毎日四、五回は会議をしている」と言っていた。わたしは、どうして自分はその会議に参加できないのだろうかと思った。後に、現場で知り合った友人を通じて初めて会議の時間と場所を知り、手を尽くしてわたしも参加できないか探ってもらった。

最終的に完成した『私たちの青春、台湾』の中で、わたしが当初会議に入れてもらえないというシーンがある。会議に参加するまでは長い道のりだった。わたしは会議の外に追いやられたこ

26 **保安警察第五総隊** 内政部警政署の管轄下にあり、中央政府機関の警備や治安維持などを任務とする、高雄に所在地を置く部隊。

とに納得がいかず、かといって為廷にお願いするのも気が引けた。為廷はいつも、「自分でなんとかして」と言っていた。為廷の立場ではわたしを直接連れて入るのは適切ではなく、それをやってしまうと特権を行使しているように目立ってしまう。わたしは博芸の友人のひとりに頼むしかなかった。その友人は、ビデオカメラを手に証拠映像を撮っている姿が、よく映画にも映っている（事後に自分の権利を主張する証拠を得るために、警察とやりとりするときには自分で証拠を集めておく必要がある）。彼は映像記録を残しておくことに重要な意味があることを知っており、それで会議メンバーと交渉して、みんなに確認してもらった。撮影をしたいという映画監督がいて、二年以内にこの映像を公開することはなく、警察や検察が活動に参加した学生を起訴する証拠になるのを防ぐことを約束している、と。なんと言っても、彼らが占拠したのは立法院であり、方針決定の会議に参加しているメンバーはみな最後に法的な責任を負わされる可能性があったから。その博芸の友人はみんなに投票を呼びかけた。結果は承認で、わたしはついに会議に参加することができた。

わたしが初めて会議に参加できたのは、すでに三月二七日か二八日になってからのことで、この運動も一〇日目になろうとしていた。しかも、すでに三・二三行政院突入事件も起こっていた。それは、ひまわり運動の五日目のことだった。馬英九（マー・インジウ）は三月二三日に自ら海外メディアも含めた記者会見を行い、海峡両岸サービス貿易協定締結の重要性を重ねて訴え、協議を撤回することはないことを強調し、学生の行動は違法占拠ではないかとの疑いを向けた。その日は日曜日で、想定されたのは、月曜日になれば運動の参加者は少なくなるだろうということで、それもあって群衆の雰囲気は浮き足立っていた。初めに立法院占拠に成功してからこのかた、すでに停滞期にさしかかっていたというのもある。どのように次のアクションを起こし運動のエネルギーを確保するのか、みんな焦っていた。その結果、三・二三行政院突入事件が起こったわけだ。

三・二三行政院アクションを議論する会議にはわたしも入れてもらえず、しばらくはウワサを聞いているだけだった。わたしと博芸は、三・二三行政院アクションの方針決定の中心である台湾大学社会科学部に行ったものの、博芸が知っていることも限られていて、どのように会議が行われているのかはわからなかった。この方針決定組織ができたのは、だいたい立法院の議場内に小さな政府もどきが次第にできあがった後だった。張之豪（ジャン・ジーハオ）[27]や張勝涵（ジャン・ションハン）[28]（彼らは江偉華（ジアン・ウェイホワ）[29]監督の『街頭［The Edge of Night］』[30]の主要人物）のような、もともと陳為廷と林飛帆（リン・フェイファン）の二人と社会運動をやっていた仲間たちだった。彼らは立法院の中の人たちでは行動力に限りがあると痛感し、社会科学部に外部の指揮本部を作ろうと考えたのだったけれど、実権は持っていなかった。当時為廷たちはこれが主導権の争いだと感じていた。「どちらが運動を主導していくのか？ 立法院議場内なのか、社会科学部が作った本部なのか？」と。わたしには、主な問題は議場内の

27 **張之豪** 一九八一年生まれ。ブリティッシュコロンビア大学（カナダ）卒業後、台湾大学で修士号取得。野いちご運動、反メディア独占運動、ひまわり運動などの社会運動に参加。現在は民進党に所属。

28 **張勝涵** 一九八九年生まれ。台湾大学出身。『史明口述史』の筆記作業や、史明著『台湾人四百年史』の校訂作業などに参加。野いちご運動以降、社会運動に積極的に参加し、現在は民進党に所属。

29 **江偉華** 一九七六年生まれ。ドキュメンタリー映画監督。『広場（The Right Thing）』（二〇一〇年）などの作品がある。

30 **『街頭』** 原題は「通り・街頭」の意。

ネットワーク環境が良くないことで、双方の連絡がスムーズに行われなかったことにあると思われたけれども、議場内の人たちが内部で議論して、即時に決定していくしかないのを見て、社会科学部の人たちは不快に感じ、それもあって議場内の人を外に引っぱり出して会議をしようとしたこともあった。それで、陳為廷や林飛帆たちは幾度も社会科学部に行って会議をしていた。でも、残念ながら、わたしは為廷や飛帆と一緒に会議に出ることはできなかった。為廷たちが海峡両岸サービス貿易協定の問題に関わる前に、わたしはすでに一定期間為廷を密着撮影しておらず、ひまわり運動の最初から為廷を追えていたわけでもなかったから。いきなりみんなと人間関係を築けるわけもなく、為廷から片時も離れずついて回るわけにもいかず、すぐに運動の意思決定の中心に入り込むことはできなかった。

わたしは議場で待ちつづけるしかなく、演壇の脇で待ちながら誰が話をしようとしているのか見たり、為廷がどこにいるのか観察したりしていた。為廷が議場内に現れたときだけ為廷とコンタクトがとれ、ひとたび別の場所に行ってしまうと追いかけられず、そのことで多くの重要な場面を撮り損ねてしまった。

その時期の会議は、最初のころは正確な場所をつかむのが難しかったが、後にはわりと場所が定まってきたようだった。立法院内では「工作会議」があり、構成員は学生たちだった。わたしもよく知っていたのは、外のあるＮＧＯの事務所で、「聯席会議」が行われることだった。聯席会議と呼ばれるものは、ＮＧＯと学生の共同幹部会議のことだった。当時、社会科学部の人たちは、すでにほとんど「アウト」になっていた。でも、追い出されたわけではない。彼らはもともとＮＧＯと協力したくなかったためだ。社会科学部の本部を立ち上げた人たちは、他のみんなのことを大人しすぎで、ＮＧＯなどはとりわけ保守的だと思い込んでいたようで、協力しようという意思は強くなかった。

結局、「聯席会議」が本当にすべてのことを決める場所であり、それゆえにもっとも厚いベールに覆われていた。「工作会議」はその次だった。わたしはあれこれコネをつたって、ようやく「工作会議」に入れたものの、「聯席会議」にも入ろうと試みていた。一度為廷に参加できないかと訊いてみたことがあり、試してみたらどうかということで、わたしは実際にカメラを持って行ってみたものの、会議前にやはりみんなに撮影していいかお伺いを立てる必要があり、司会進行役の先生が一言、「それはまずいんじゃないか」とだけ言った。それでわたしのチャンスはなくなった。

わたしが感じたのは、撮影されることに警戒心を持つ人もいて、とてもイメージに気を遣うということだ。わたしはそれには共感できない。「それほどイメージを大事にするのは、わたしたちが立ち向かおうとしている相手とどんな違いがあるのだろうか」と、そのときに思ったけれど、どうにもならなかった。その後、別の監督も撮影したいと考えたようだったが、結局のところドキュメンタリーを撮る者なら意思決定の核心部分がいったいどうなっているのかを知りたがる、ということなのだろう。その監督は「聯席会議」のメンバーとわりと親しかったので、ついに中に入って「会議」の一端を撮影することを許されたものの、そのときは重要な決定のない報告事項だけで、その後また撮影することはできなかった。そのため、感覚的に「聯席会議」はブラックボックス、つまりベールに包まれ、一般人はどうやっても参加できない、何の記録も残すことができないものとなった。「内部では何も人に言えないような決定がなされているわけではない」と為廷は言っていたが、厳しく部外者の参加を拒むことで、かえってみんなが参加したいと思う会議になってしまっていた。

立法院内の「工作会議」については、ますます多くの人が参加するようになった。幹部たち自身がつねに問題を点検して改善しようとしていたからだ。わたしの映画の中にあるように、多くの活動参加者が許可を得られずに会議の外にとどまったが、とても不愉快に感じていた。のちに次第にオープンになったが、会議がどんどん大きくなり、意見もますます多く、時間も長くなった。それは、本当にバランスが難しいことだった。

議論の過程で、「聯席会議」に参加したいと意思表明する人が、いつも誰かしらいた。「聯席会議」は代表制になっていて、それぞれの活動組織ごとに限られた枠の代表だけが参加でき、もしそのリスト［席次］に入っていなければ、傍聴席もなかった。当時は誰が代表として出席するかが議論の争点になってしまっていた。ようやく誰を代表とするか決めても、また誰かが出てきてひっくり返そうとするのだった。

比較的後から「工作会議」に入ったメンバーは、たいてい「聯席会議」に参加したいと意思表明することが多かったものの、彼らがリストに入ることはなかった。組織の拡大が続いていたため、何人かの映像や文字記録の担当者も、正式に組織に入りたがった。たとえば、当時あるグループがフェイスブック上でちょっとしたエピソードを書き、運動内部のプラスのイメージを宣伝していたが、それらの人たちも正式に組織化されたメンバーになりたいと思っていた。工作会議の主宰者たちは、「なぜ正式に組織に入りたいのか？　記録係を組織する必要があるのか？」と、彼らに問い質していた。実際のところ、彼らが正式なメンバーになりたがったのは、「聯席会議」に参加するためで、そうでないと内部の状況を観察することもできなかったからだ。——実を言えば、わたしと同じようなものだ。当然、幹部も、「もし席次が欲しいなら、みなさんも我々の組織の観点を代表することになるというのを、はっきりさせておいてもらいたい。ひとりの記録担当者として、この運動を超えたところや外から記録するのか、あるいは運動内部で、運動の広報をするのか、その二者ではぜんぜん違う」と、彼らに注意を与えていた。記録を担う人たちも迷った挙げ句、結局組織には入らなかった。わたしが言いたいことは、「聯席会議」には制限があり、内部から運動全体を観察したい人を惹きつけ、続々と参加要求をする人がいたけれども、もし本当に中に入りメンバーになってしまったら、記録者としては立場が曖昧になってしまうという問題があったということだ。わたしは最後まで正式に組織の中には入らなかったけれど、おかしなことに、一員としての身分証を手に入れた。

この身分証の最大の利点は自由に出入りできることだった。はじめ、わたしが議場内に出入りするにはハシゴを上り下りしなければならないだけでなく、議場の中の人に頼んで迎えに来てもらう必要があった。三番ゲートには別の出入口があったけれども、警察が塞いでいて、入るためには立法委員の協力が必要だった。でも立法委員に頼むのはとても面倒で、長い時間をかけて連絡をとりあう必要があり、先方もわたしが誰なのかいつまでも覚えているわけでもなく、つねに誰かの手を煩わせてしまっていた。だんだんと番号を打ったカードが出るようになった。わたしは警備担当グループにカードをもらえないか問い合わせたところ、認めてもらえたのだった。でも、わたしが組織のメンバーの中に入っていたのかは、やはり曖昧なままだった。

蔡博芸は来るか？

三・二三行政院突入事件の前、陳為廷たちは立法院内外の情勢が緊迫していると感じていた。一方で政府を相手にして馬英九を攻め、一方で外からしきりに伝わってくる、誰それが主導権を奪いに来るといった情報に対応しなければならなかった。現場の情報はとても混乱していて、方針もころころ変わった。三・二三行政院突入事件当日、わたしがもともと聞いていた情報は、外の人たちと共同で三番ゲートをこじ開ける準備をするというものだった。三番ゲートは依然として警察に押さえられていて、多くの運動参加者がおかしなことだと思っていた。「明らかにわたしたちが立法院を占拠しているのに、なぜ一部を警察が守っているのか？」と。運動のメンバーたちは立法院の平面図を描き、三番ゲートを確保する戦略を練っていた。為廷は、三・一八のとき「捍衛苗栗(ミアオリー)青年聯盟（捍苗青）」[31]の友人たちと一緒に来たものの、そのうちの何人かは議場に入らずにいた。それで、わたしとそれらのメンバーで一緒に行動し、三月二三日午後、わたしたちはずっと指示を待っていた。

でも、本当に突入するつもりなのかどうかというと、どうもそうでもなかった。夕方になって、わたしたちは行政院向かいのシェラトンホテルに行き、長いこと待っていたが、心の中では、なぜ立法院の出入口を確保するのに、こんな遠くまで連れて来られたのだろうと思っていた。七時すぎになって、突然誰かが「突入」と叫んだ。多くの人が行政院に向かって突っ込んでいった。とても混乱した状況だと感じた。もともと標的が行政院だと知っていたかのような人もいたけれども、「捍苗青」の人たちは分かっていなかったようだ。それらの最前線で突入しようとした人たちは完全に素手で、何の工具も防具も持っておらず、軍手もせずに素手で防護柵を揺らしていた。その後続々と軍手が届けられ、有刺鉄線の防護柵の上にはふとんがかぶせられた。でも、わたしが防護柵を越えて入ったときには、そうしたケガ防止措置はまだ完全ではなかった。後々になっても、「捍苗青」の人たちは先頭切って行政院突入を始めた人を許せないと思っていたが、それは「捍苗青」メンバーが実際にケガをしてしまったからだった。

防護柵の有刺鉄線がどれだけ鋭く尖っているかは、わたしが靴を履いてその上に乗っただけでも感じることができた。けれども、わたしが映画の中で話したように、本当に手を差し伸べて引っぱり上げようとしてくれる人もいて、防護柵を乗り越えていくのを手助けしてくれたのだった。

でも中に入ってから、わたしはまた行き当たりばったりに動き回るしかなく、どこに行きど

31 **捍衛苗栗青年聯盟**　苗栗の土地収用問題を契機に、陳為廷らが組織した社会運動団体。

うしたらよいのか分からなかった。そこで思ったのは、「蔡博芸は来るか？」ということだった。主要な目的は博芸と為廷を撮影することだったから。わたしは何かに参加したいと思ってはいたものの、二人がいないと、不安を感じてしまうのだった。でもそれと同時にそれに甘んじる訳にもいかず、自分でも何かできればと望んではいた。

博芸に電話をかけると、行政院の外にいるということだったけれど、話をするうちに彼女も中に入ってきた。そのときには、すでにみんなで力を合わせて入口を押し開けてあったので、他の人たちも直接入ってくることができた。その後ハシゴをかけた人がいて、行政院の庁舎に向かって攻防が続けられた。博芸は近づくことができず、遠巻きに眺めることしかできなかった。わたしも博芸と一緒に外で見ていた。そのときは、みんな興奮していて、誰もこの後に流血の事態を迎えようとは思わなかった。

だいたい一、二時間くらい後になって、わたしと博芸はショートメッセージを受信した。かつて社会科学部に行って情報を残した人であれば、次々とメッセージを受信したと思われる。

こんにちは、こちらは社会科学部の後方支援基地です。特に用事のないみなさんはすぐに戻ってきてください！

わたしにとっては、このメッセージは謎だった。行政院でのアクションがまさに燃え上がっているときに、なぜ帰らなければいけないのか。ちょうど博芸も遅くまではいられず、ボーイフレンドも心配するということで、わたしたちは一緒に現場を離れた。社会科学部に戻ってみると、何事もなかった。みんな一緒に集まって、何をしたらよいか分からない状態だった。

ちょうどそのとき、わたしはまたショートメッセージを受け取った。それは完全なデマだったのだけれど。


行政院はワナだ、警察は立法院を奪還しようとしている、すぐに戻って守ってほしい。


そのときわたしはかなりあせった。すべての荷物は立法院に置いてあり、とりわけわたしの撮影用のワイヤレス・ミニマイクも入っていたから。もし奪還作戦があるなら、もしみんなが本当に撤退してしまうなら、それらのものを保管しておいてくれる人はいないだろうし、わたしは早く戻りたかった。別の面では、当然戻って議場の様子を見たかった。為廷も議場にいたわけだから。本当にそのときは分身して一方で博芸を撮り、もう一方で為廷を撮ることができないのが歯がゆかった。

立法院に戻って、わたしはまたすぐに議場には入れず、また為廷に頼んで迎えに来てもらうしかなかった。いつまでも為廷の手を煩わせたくはなかった。中に入ってから、わたしは二度と外に出ないと決めた。

しばらくして、ウワサが流れ、行政院で鎮圧がはじまったということだった。ひとつにはわたしは簡単に出入りできなかったのと、もうひとつには鎮圧が怖かったのとで、何度も迷った挙げ句、議場に残ることにした。そのときはとても無力で、何もできず、自分自身を問い詰めざるを得なかった。

鎮圧が始まったとき、議場の中は暗澹たる空気に包まれた。わたしも為廷がどのように感じているのかを知りたかった。でも当時の雰囲気は非常に重く、誰も口をきかなかった。

その後、為廷は会議に行き、わたしは議場内でみんなが何をしているのかを見ているしかなかった。議場の中にいる自分たちに何ができるかを議論する必要があるのではないかと、誰かが提案した。そこでみんな小さなグループに分かれて、議論を始めてみたものの、実際のところ何もできなかった。

翌日、三月二四日になって、議場内の方針決定チームが声をあげることを決め、警察が力で鎮圧したことを非難し、三月三〇日に大規模デモを行うことを決めた。

わたしはと言えば、依然としてどのようにすれば「工作会議」の中に入って撮影できるか探っていた。[32] 三・二三行政院突入事件の後はみんなどんよりした雰囲気の中に閉じこもってしまい、何も新たな行動は起こさなかった。博芸はときどき立法院内に入ってきていたけれども、積極的な真相究明を始めていた。誰が三・二三行政院突入事件を主導したのかについてだ。当時、誰も真相を知らず、誰も責任を認めなかった。博芸はまったく納得していなかったけれども、それは三月二三日に何らかのアクションがあると聞いて、友人たちを集めてしまったからで、その中には何人か大陸出身者もいた。博芸は、自分が友人たちを守る責任を果たすことができなかったと感じていた。自分が友人たちを集めて行ったのに、自分自身はショートメッセージの指示のせいで社会科学部に戻り、その結果行政院の現場に残った人たちが警察の暴力に遭ってしまったからだった。博芸は方針を決めた人たちが出てきて責任をとらないのはまったく承服できず、いったい誰が責任をとるべき人たちなのかをあちこち調べまわった。

博芸は独自に一連の真相調査を開始したけれども、立法院の中の人たちも真相調査委員会を組織した。彼らが決定した会議日程は、わたしが「工作会議」に入れるようになった翌日だったけれども、わたしはこの会議への参加を拒否され、その理由は内部のイメージの問題に関わるからということだった。

わたしがずっと考えていたのは、三・二三行政院突入事件を背後で操っていた人たちについての継続調査に参加するかどうかだった。実際、社会運動をする人は、もともと背負うべき責任があるはずだが、今回の突入がわたしたちに与えた印象といえば、それを発動した人たちが事後に隠れてしまっているということだった。博芸はこのことが非常に不満で、もし物事にこんなふうにして向き合うなら、過ちを犯した人が正義に立ち戻ろうとしないことを、それらの人たちが非難する資格はないと考えていた。わたしはこの問題を追いつづけるかどうか悩んでいた。でも、この件は非常にデリケートな問題で、運動のイメージにも傷をつけかねず、議場の中と外の民主的なあり方の問題よりも重大な問題だった。わたしは、まずは少し追ってみてから考えようとい

32 **わたしはと言えば……探っていた**　傅榆が「工作会議」に参加できるようになったのは、三月二七日か二八日になってからである。

う心づもりだったけれども、博芸は独自に追加調査をしようと思っているようだった。一部は本当にデリケートな問題で、録音はできても録画はできないような場合もあり、録音できても外部には公開できないことすらあった。わたしはとても追い切れないと思い、この線はあきらめることにして、「工作会議」の撮影に専念した。

要点を言え！ 要点を！ 要点は何だ？

立法院内の「工作会議」は毎日三、四時間開かれ、わたしもそこで毎日三、四時間撮影した。入ったばかりのころ、彼らがいったい何を議論しているのか理解しようとすることしかできず、いかなるシーンも二度と撮り逃すまいとしていた。でも聞いているうちに、わたしはその議論の過程が極めて重要だということに気づきだした。なぜかというと、彼らの議論の中では、しばしば民主というものの本質に触れる問いがあったからだった。どのようにハシゴを置くか、どのように人を入れるか、誰はよくて誰はダメなのか、こうした問題は事務的な問題に見えたけれども、本質的にすべて民主的な議論なのだった。誰がこれらの件について決定をするのか、という意味で。類似の議論は毎日会議の中で出てきて、ある程度運動の成熟を反映していた。

そうした過程で、つねに会議メンバー以外の人が、「工作会議」に参加したがっていた。この箇所は、後にドキュメンタリー映画の中でナレーションを使って説明をしたけれども、実際の現場では、初めて会議室にやって来た人たちの様子を何度も撮っていた。会議に入ってきたばかりの人は初めは恐る恐るで、会議に参加したいと意思表明し、なぜみんな新聞を見てやっと何が起こっているのかが分かるような状態なのか、二階にいつもいるのに、どうして誰も会議に呼んでくれないのか、と質問するのだった。そしてその後には、この会議にひどくうんざりするのだった。わたしは、仲間のひとりが会議の中で成長していく過程を完全に記録し、ナレーションをつけて『私たちの青春、台湾』に入れようとしたものの、長すぎて入れられなかった。そこで、わたし自身がその役を担い、会議に参加することを希望し、その後この場所がとても嫌になっていく人を体現するようにした。

わたしが撮影した中で最も重要な場面は、退場に関する議論だった。その前に起こったできごとも良かったけれども、やや瑣末な感じもあった。ドキュメンタリー映画を撮る者としては、編集のときにターニングポイントが必要になるもので、三・二三行政院突入事件はそのひとつと言えるだろう。でも、「工作会議」の撮影でいうと、ターニングポイントは何といっても退場についての議論だった。

退場を議論する「工作会議」の前に、わたしは博芸と社会科学部での、ある活動に参加した。活動の主催者はみんなのアイデアを結集してその利点を広めたいと思っていて、運動の次の一歩はどうすべきか議論した。運動の周辺にいるような人たちも参加を認められ、その過程は何かの合宿のようでもあり、何組かに分かれて、大きな紙に各自の考えを書き込んでいった。為廷もその活動に参加していた。だから、わたしも行ったのだけれど。この会議が終わって、なんと「工作会議」で退場が議論され出したのだった。社会科学部の活動を仕切る女子学生のひとりは、

「運動は続けるのではなかったの？　どうして退場するの？　場外の人はまだ知らないし、どうみんなに説明するのだろう？」と、驚いていた。実際、「工作会議」の前に、一度「聯席会議」が開かれていて、そのときに、最善の策は木曜日に退場することだという方向性は決まっていた。林飛帆たちはその「聯席会議」で決定された「最善の計画」を持って、「工作会議」の現場でみんなを説得したと言っていい。でも飛帆の説明を聞いて、みんなだんだんと不愉快になってしまった。「もともと計画があって、わたしたちは説得を受け入れるだけなのか？　意見を結集して役立てるというのはウソではないか」と。でも質問が出され、議論が始まり、林飛帆がさまざまな考えを挙げ、ひとつひとつ説明していくと、みんなも次第に説得されていったようだった。でも、そのときまた新たな参加者が入ってきた。会議場のドアは半分開いていて、メディアを除いては、誰でも自由に出入りできたからだった。新しく来た人はまた驚き、また疑問を呈した。そうやって、みんながようやくコンセンサスを得たばかりの問題について、また改めて説得しなければならない。その晩はそうやって一回また一回と説得をくり返し、午前一、二時になっても結論が出なかった。

二階の警備をしているメンバーは非常に不愉快そうに、「みんな議論をしに来ているものと思っていたが、退場という決定を持って帰ってうちのメンバーに報告しろなんていうのが、どうしてできると言うんだ」と言った。彼は少なくとも戻ってみんなで議論をして、みんなの意見がどうか見てからでないと、直接みんなにこんな決定を伝えるような立場にはないと考えていた。

曲折を経て、退場の決議はペンディングにして、翌朝また続けることにするしかなかった。情報が漏れるのを防ぐため、林飛帆はその場で参加者と三つの約束をし、もしメディアに質問されても、みんな同じように「まだ議論しています」と答えるようにした。飛帆はその場で模範問答をやって見せ、「もしメディアが質問その一を訊いてきたら——まだ議論しています。質問その二——まだ議論しています。質問その三——まだ議論しています」という具合だった。

その日の終わりかたは平和なほうで、みんなも気楽な感じだった。

翌日の正午、正式に決議をすることになった。門戸を開き、誰でも参加できるということが、中にいる人たちに苦痛を与えているということを、わたしはしみじみと感じていた。映画のナレーションではさらりと流したけれども、中にいるときは、出ていくことだけしか考えられず、でも外の人たちは決まって入ってきたいと思っていた。ドアは半分開いていて、たえず人が入ってくるので、説得はくり返し行わねばならず、永遠に全員を説得できるときは来なかった。

その後幹部たちもだんだんと焦りだし、口調もだんだんと乱暴になり、発言しようとする人に厳しくなっていった。大多数の人が決議の時間が差し迫っているとは思っていなかったので、みんな自分の考えを話そうとして、滔々と話し続けるため、司会者は険悪な感じで、「要点を言え！　要点を！　要点は何だ？」と言っていた。気が弱そうな女子学生の中には、そのように問い詰められて泣きそうになる人もいた。

最後は幹部たちがやや乱暴に決議を通すことで、ようやく会議を終わらせることができ、メディアに情報を流すこともできた。けれども、幹部たちが一階に下りて間もなく、王奕凱（ワン・イーカイ）[33]が入り込んできた。

王奕凱と公投盟（公投護台湾聯盟）[34]など独立派団体とは立ち位置が比較的近く、一部の独立派団体はひまわり運動全体に対して非常に不満を持っていた。運動の方向性が、大衆に受け入れられるような比較的穏やかなものに変わり、急進的な公投盟は方針決定のかやの外に追いやられていたからだった。

王奕凱たちは議場内の方針決定グループに不満があり、「独立派団体は、かやの外に置かれ、会議に参加することができないのに、なぜ蔡博芸のような中国人学生が議場内にいるのだ？」と考える人もいるというようなことを、そのときわたしも耳にした。博芸は確かに中で一、二回会議に参加したことはあるけれども、ただの傍聴に過ぎなかった。博芸が入っていた理由はとても単純で、会議に彼女の友人がいて、入ることが認められたのだったけれど、どうして他の人に知られたのかは不明で、博芸の身分は争点の一つとなっていた。

王奕凱はその前にはまったく入ることができず、どうして何の公開討論もないのかと、とても不満だった。退場すると聞いて、手を尽くして紛れ込んで入ってきたのだった。しかも、王奕凱がすごいのは、あっという間に壇上で話を始め、その前に誰にも気づかれなかったことだ。わたしはカメラを持って飛んでいったが、あのときの感覚は今でもはっきりと残っている。「すでに何百回と議論したのに、どうしてこういう人たちと共通認識が得られないのだろう」という感覚だった。わたしは、「面倒だな、本当に疲れるな」と思った。このような人たちは許し難いとさえ思った。でもわたしのそばにいた女子学生で、長いこと社会運動に参加している子が、諭すように言った。「でもこれも正常なことよ。こういうものだと思うわ。前の議論が長かったからと言って、その事情を知らない人をうっとうしがってはいけない。民主とはそういうものでしょ！」と。

そのとき、わたしがようやく意識したのは、自分が情報を持っている優越感を持ちはじめていることで、そのことを恥ずかしく思った。

でも、ひとりのドキュメンタリー映画に関わるものとして、わたしは大きな事件を撮影することができたと言えるだろう。

あの女子学生も、わたしが撮影しつづけているのを見て、「このシーンを撮れてうれしいですか？」と訊いてきた。

そう、本当にうれしかった。ついに何かを捉えられたから。

陳為廷、香港入境を拒否される

三・一八ひまわり運動のとき、「反中国色」は決して明確には打ち出されなかった。論点のうち中心的な問題の順番としては、最上位が「反黒箱［アンチ・ブラックボックス］」（国民党が見えない操作をして海峡両岸サービス貿易協定を通過させようとすることに、反対を表明すること）で、最も

33 **王奕凱** 一九八五年生まれ。台湾独立派の活動家。

34 **公投盟（公投護台湾聯盟）** 住民投票のハードルを下げることや、「集会デモ法」の撤廃などを掲げる社会運動団体。

多くの人が運動を記述するときの共通認識である。でも、わたし個人は、「中国ファクター」と「反中」の感情が、あんなにも多くの人の参加を促した主要な原因であると考えている。ただ、それはつねに運動全体の伏線にすぎず、反メディア独占運動のときには明確に打ち出されていたのとは違った。

とはいえ、ひまわり運動の様子を思い出してみると、感動的な場面もあった。一つは、香港人が立法院の議場に入ったこと。次に、王丹とウアルカイシ[35]も現場に来てみんなを激励したことだ。でも、ウアルカイシや王丹はこの運動を六四精神[36]の延長線上に位置づけていて、その場にいた人もとても同意はしかねていて、わたしもちょっとおかしなことだと感じていた。三・一八ひまわり運動を、奇妙な歴史体系の中に組み入れてしまっているかのような感じがしていた。実際、運動の文脈というのはそうではなくて、台湾には当然独自の社会運動の流れというのがあった。どうしても天安門事件の延長線上だと強弁するなら、わたしはそれはものごとを単純化しすぎだと思う。わたしは天安門事件には思い入れもあるけれど、台湾・香港・中国の公民の連帯というところから来ているものであって、天安門事件がわたしたちの源流になっているからではない。そうではあるけれども、わたしはやはり台湾の公民運動が三つの地域の人々を連帯させ影響を与え合い、ともに励ますことができたことを、とてもうれしく思った。わたしも、こうした連帯のムーブメントが、引き続き大きくなっていくことをつねに期待していた。

二〇一四年七月、わたしたちは再び香港に行って、七・一デモに参加しようと思った。当時、香港の社会運動家の友人がセントラルを占拠する予行演習を、七・一デモが終わるタイミングで実行しようとしていた。

三・一八ひまわり運動が終わってから、社会運動の中ではいくつかの異なる派閥ができ、一部の人たちが「民主闘陣」を組織したのだけれど、それは議場内の方針決定グループから続く組織の陣容だった。陳為廷・黄国昌・林飛帆の三人にいたっては、別個に「島国前進」を組織し、俗に社会運動の精鋭部隊とも呼ばれた。でも、多くの人が、三人の動きはおかしいのではないかと思っていた。

「島国前進」ではもともと、陳為廷と林飛帆、それに発起人のひとりである台湾大学社会科学部専案助理教授［特任助教／Project Assistant Professor］の陳恵敏（チェン・ホイミン）[37]先生が一緒に香港に行き、七・一デモに参加するつもりだった。わたしも一緒に行きたいと思い、彼らを手伝って航空券の予約をした。結果的には林飛帆は香港のビザが下りず、その時点でわたしたちは、為廷も香港には入れないだろうと気づいてはいた。でも、為廷は台胞証を持っているので、行くだけ行ってみようと考えていた。実際には為廷も、どのような結果になるかは分かっていて、それで事前に新聞原稿を書き上げていた。中共と香港政庁が連携して香港・マカオ・台湾の公民による団体交流を妨

35　**ウアルカイシ**　一九六八年生まれ。ウイグル族であるが、両親が北京の中央民族出版社勤務だったため、北京に生まれている。北京師範大学在学中に、天安門事件の学生リーダーのひとりとなる。武力鎮圧後すぐに香港に逃れ、フランスに亡命。米国留学を経て、台湾に移る。劉暁波の教え子のひとり。

36　**六四精神**　一九八九年六月四日の天安門事件につながった、中国での民主化を求める学生運動の精神のこと。

37　**陳恵敏**　一九七二年、高雄生まれ。台湾大学で学士、清華大学で修士、東海大学で博士を取得した後、新聞記者を経て、台湾大学特任助教。政党「時代力量」幹部。

害していることに抗議する内容で、為廷が強制送還になったらすぐに発表できるように準備していた。

そのような状況ではあっても、もしかしたら何かチャンスがあるかもしれないと、わたしはやはり期待していた。他の人たちがどれくらいの期待を持っているのか分からなかったけれど、わたしは、為廷が本当に連れて行かれてしまうその一秒前までも、為廷が香港に入れる可能性があるのではないかと思っていた。

イミグレーションでは、為廷のリスクを考慮して、わたしと陳恵敏先生とで為廷を真ん中に挟むようにした。わたしが先に入り、為廷が二番目で、陳先生がしんがりだった。わたしは通過した後にふり返って見たら、為廷がカウンターに移動し、台胞証を係員に渡しているところだった。こっそり撮影しようとしたけれど、しつこく追い払われた。係員たちは、「待つなら外で待て。ここに立ち止まるな」と言う。それで、わたしはその瞬間を逃し、為廷は連れて行かれてしまった。

そのときわたしは喪失感にとらわれていた。前の年、わたしたちは一緒に香港に来てドキュメンタリーを撮影したけれども、他には香港の状況に関心を寄せる社会運動関係者は同行していなかった。今回は、台湾でより多くの人たちが香港の運動に期待を寄せていて、それで台湾農村陣線[38]、台湾人権促進会[39]、台湾労工陣線[40]がメンバーを派遣して同行していた。それらのメンバーと香港の団体が合同で香港・台湾の交流をした。これらの活動に参加するとき、みんな自己紹介をするのだけれど、全員それぞれ特定の組織から来ていた。わたしの立ち位置は微妙で、どの組織にも属していないし、ただ陳為廷について来ただけだし、その上為廷も連行されてしまった。幸いなことに、為廷の先輩が来ていて、少なくとも知り合いと言える人がいたけれど、さもなくば本当に頼る人もいなかった。

交流会の実質的な内容は、大部分がお互いに応援し激励するというものだった。でも、為廷が連行されて台湾に送還されてしまい、そのことは香港と台湾の公民や社会の交流を取り締まろうという、中国政府の方針を表していた。そのことで、わたしは当時の香港・台湾間の交流に対して、とても悲観的になっていた。陳恵敏先生は、七・一デモの夜の集会で壇上に上がり、台湾の組織を代表して香港の友人たちにエールを送っていたけれど、わたしは組織に属しているわけでもなく、一緒に登壇はしなかった。わたしは、突然強烈な疎外感に襲われた。それは、わたしがその場のみんなをよく知らないことから来るものだった。主要な撮影対象を失って、わたしもその訪問旅行の最重要目標を失ってしまったのだった。

話を戻すと、なぜわたしがその一年前［二〇一三年］に七・一デモを見に行きたいと考えたのかというと、ずっとみんなが団結して何かをなすことに憧れていたからだった。自分の社会運動の中での観察によると、みんなはすぐに衝突を起こすように思えて、たとえ明らかに八割方の理念が似ていたとしても、少しの理念の違いがあるだけで、まったく協力ができていなかった。

38 **台湾農村陣線**　台湾の農村に目を向けることを趣旨とする、さまざま職業・専門の人たちのネットワーク組織。

39 **台湾人権促進会**　一九八四年の人権の日に設立された、人権の尊重に重点を置く社会運動組織。

40 **台湾労工陣線**　一九八四年に設立された、台湾最初の労働運動団体。

三・一八ひまわり運動が起こる前、反メディア独占運動は異議申し立ての風潮をいくらか巻き起こしたけれども、政権や当局を揺るがすような力にはなっておらず、そこでわたしは、なぜそうした異議申し立ての力を結集することができないのか、嘆かわしく思っていた。わたしの知り合いである香港の若者たちは、毎年香港で行われている七・一デモを見に行くように勧めてくれた。聞いたところでは、香港の広い意味での民主派は、実際のところ台湾よりも多くに分かれていて、小さな団体も多いらしかった。でも、毎年七・一デモになると、その活動は非常に盛大なものになるということだった。それは、わたしが憧れていた結集のエネルギーだった。知りたいと思ったのは、なぜ香港ではそんなに多くの小団体があるのに、七・一デモのときには巨大な力を結集することができるのか、ということだった。しかも、毎年七・一デモに参加する人数は、その年の香港人が中国政府に対して声を上げたいエネルギーがどれほどかを反映していて、幾多の小団体がどのように連携しているのか興味があり、わたしの撮影対象も連れて行って観察したいと思ったわけだった。そこで、二〇一三年、わたしと陳為廷たちは中国・香港の旅に出た。わたしたちは、香港で七・一の活動に参加した。

のちに、わたしのあこがれが片思いだったのかもしれないことに気づいたのだけれど、それは七・一は香港の人たちにとってお祭りのようなもので、所属組織の規模が大きくない香港の友人たちは、逆にデモに行っても意味がないと思っていたからだ。そうした友人たちは、「学民思潮」†のような大きな組織なら、当然七・一デモの機会を捉えて多くの募金を集められるけれども、一年に一度だけ天安門事件追悼の夕べを行うのと同じように、一種の恒例行事のようになり、何かができるとは限らないと考えていた。わたしはようやくにして、もともと香港の人たちの一部はこの活動をそんなふうに見ていたのだと知った。

けれども、わたしはやはり交流を通じて、みんながお互いの境遇を理解し合い、実際には一緒に何もできなかったとしても、お互いに激励することはできると期待していた。二〇一二年、反メディア独占運動で夜通しの活動をする前日、陳為廷は誰も参加しないのではないかとひどく心配していた。それを知った黄之鋒は、陳為廷・林飛帆とフェイスブックでつながり、林飛帆のタイムラインに香港の反国民教育運動‡で十数万人が街頭に繰り出した写真をアップし、「香港特別行政区政府総部占拠に続き、台湾の皆さんが行政院占拠に成功することを祈る！」と書き送った。為廷はその写真をシェアし、「なんだかナメられている感じがする」と書き込んだ。為廷は、悲しむべきか喜ぶべきか分からないといった体(てい)で、香港には負けるもんかと思っていた。思うに、これもまた、お互いに激励をしあった効果の一種と言えるのだろう。

【原注】† **学民思潮**　香港の学生政治社会運動組織で、社会運動を通して政治体制を変革することを主張している。組織の発起人は黄之鋒（ジョシュア・ウォン）、スポークスマンは黄子悦。後に大部分のメンバーは学生ではなくなり、それぞれ政界進出したり他の組織に関わったりしており、そのためすでに活動を停止している。

【原注】‡ **反国民教育運動**　香港の国民教育科に反対するためのデモ活動。

第六章　迷走する映画のラスト

監督としての罪悪感

　わたしは以前から、ドキュメンタリー映画監督という自分の立場に後ろめたさを感じていた。興味があるのは人物を撮ることで、撮影対象についてあちこちの社会運動に参加しても、本当にそういったグループに入りたいとは思わなかった。社会運動の個々のテーマに興味があるわけではなかったから、特定の運動に全身全霊を傾けたり、特定の運動を組織したりといったことも考えなかった。そのことに気づいたのはだいぶ後になってからだ。

　だからみんなを撮影するときには、なんの対価も払わずに恩恵だけを受けているかのような、強い罪悪感をおぼえた。自分が撮影したグループと向き合うときは特にそうだ。そんなわけで、たまに陳為廷（チェン・ウェイティン）からちょっとした頼みごとをされた際には、できるだけ協力した。たとえば、選挙に立候補するから映画を撮ってほしいと言われたとき。それから反メディア独占運動における「国中駆け回る街宣活動」でも、記録撮影を手伝った。編集を終え、仕上がったものを見たみんなが感動してくれたことで、わたしはやっと贖罪の感覚をおぼえたのだった。

　こんなふうに自分自身を説得するドキュメンタリー映画の制作者もいるだろう。社会に対して問題提起を行っているのだ、みなが物事を再認識できるよう触発しているのだ、と。けれどわたしからすれば、そういう言い方で自分を納得させるのは難しい。陳為廷が苗栗県から選挙に立候補した後、セクハラのスキャンダルでスターの座から転落するまでの過程を繋げてつくった長さ三〇分の『完美墜地 [A Perfect Crash]』[1]は、新北市ドキュメンタリー映画賞に入選し、さらに香港華語ドキュメンタリー映画祭で短編部門の最優秀賞を獲得した。そのときの罪悪感はとりわけ強烈だった。

映画の中で、為廷はプライベートな部分を表に出している。わたしの前でそういう部分を見せることがなかったなら、古傷が暴かれるようなことにはならなかっただろう。もちろん、より多くの人が表面上のレッテルを超えて、為廷という人物の立体的な姿を理解する機会になったことは否定しない。けれど、わたしが賞を獲得して、外国に行ったり映画祭に出たりできるのに対して、為廷はただうらやましそうに「いいなぁ」と言うことしかできないのだ。このことで、この映画を撮る意義は一体どこにあるのだろうという自分自身への問いはより強まった。問いに対する答えを、わたしはずっと見つけられずにいた。

「七日印象」[2]に参加して

三・一八ひまわり運動の後、撮影は停滞気味だった。

陳為廷と蔡博芸(ツァイ・ボーイー)はどちらもバラエティに富んだ人生を送っていたから、もともと二人のエピソードを一編の映画にまとめようとは思っていなかった。為廷の部分を段階的な成果にするつもりもなかった。わたしは四年計画を立てていた。『青と緑の対話実験室』の最後、あと四年撮ろう、とみんなが冗談で言っていたのを受けて、本当に続編をつくる気でいた。二〇一六年まで撮影を続けて、それから編集しようと考えていた。そんな中、台北市ドキュメンタリー従事者職業労働組合が、わたしを含む九人の監督を集め、インターネット上で資金を募り、ドキュメンタリー映画『太陽花（ひまわり）占拠〔原題・太陽、不遠〕』[3]——三・一八ひまわり運動の際にそれぞれが撮影した映像から一〇本の短編をつくり、それらをまとめて二時間のドキュメンタリー映画にするというもの——を制作することになった。方針決定グループ内の視点が欠けていたため、唯一陳為廷を撮っていたわたしが、そのうちの一編の制作を頼まれたのだった。長さ一七分の作品「不小心変成総指揮〔A Commander Made by Accident〕」[4]をつくったけれど、そこに議場内で行われた会議のシーンを入れることはできなかった。方針決定グループと約束したからだ。二年間の訴追期間を考慮しなければならなかったし、もしこの映像が公開されたら、検察・警察に不利な証拠として使われてしまう恐れもあった。

蔡博芸について話すと、三・一八ひまわり運動のときに博芸が受けた衝撃は非常に大きかった。運動に充満する反中の空気によって、中国籍の博芸は厄介な立場に立たされていた。それに加え

1　『完美墜地』　意味は「完全な失墜」。
2　七日印象　映画スタジオの名前。
3　『太陽、不遠』　英題は、Sunflower Occupation。原題の意味は「太陽、遠からず」。
4　「不小心変成総指揮」　意味は「うっかり総指揮になってしまった」。

て、三・一二三行政院突入事件[5]の中で、一部の仲間たちのふるまいが無責任に感じられるものであったことも、大きなショックをもたらした。わたしは博芸が今後どのように社会運動と接していくのかということに関心を持っていた。だから、続編には博芸に関する内容も入れようと考えていた。

　そのころ、CNEXとサンダンス映画祭[†]が共同開催するワークショップが北京で行われていた。わたしはそこで沈可尚（シェン・コーシャン）[6]監督と出会った。当時、蔡博芸を撮ったわたしの映画と、可尚監督の映画『幸福定格［LOVE Talk］』[7]はどちらも入選していた。ワークショップではじめて深く交流する機会を得たわたしたちは、お互いに気が合いそうだということがわかった。わたしがずっと単独で作業していることを知っていた可尚監督は、ちょうどスタジオがあるから、興味があったら仲間に入るのはどうかと声を掛けてくれた。そんなわけで、わたしは「七日印象」に入ることになったのだった。

　可尚は社長と呼ばれるのを嫌がった。平等を重視し、会社を一つのコミューンだと考えているからだ。社内ではそれぞれが自分たちの役割を果たすだけでなく、みんなが他のメンバーの仕事に協力できる能力を持っていた。わたしたちの会社のメンバーは、可尚、廷儀（ティンイー）、わたし、廷儀の夫と、プロデューサーがもう一人、それに後から加わったわたしの妹の六人で、小さな家族企業のようだった。

　監督一筋の可尚をのぞいて、他のメンバーはみんな複数の役割をこなすことができた。わたしの場合、監督もできるし、可尚の助監督を務めることもできるし、企画やフィールド調査を担当することもできる、さらに編集もこなせる、といった感じだ。この業界の中で、誰もが協力体制をとれる能力を持っていた。案件があるときは、みんなで一緒に行動して、戻ってきたら共に話し合う。可尚は大の酒好きで、わたしと知り合ってからはウイスキーも楽しむようになった。みんなで話し合いをするときは、大体クイっとやっている。昼間だってそうだ。チームと一緒の仕事は心を温かくする。作品について話し合える人がいるというのは、ずいぶん大きい。わたしは一人で黙々と作業を進めるのが常だったから、わたしが何をしているのかを知る人はいなかった。撮影対象であっても、映画の方向性については限られたことしか知らない。「七日印象」に入って初めて、本当に仲間ができたように感じた。

「七日印象」に入ったとき、『私たちの青春、台湾』の撮影はほとんど完了していた。編集を終えた一つ目のバージョンは長さ二〇〇分。このバージョンは陳為廷と蔡博芸の二人の物語だけで構成されていて、わたし自身の回想はまったく入れていなかった。

陳為廷の撮影を終えた後、小さな戸惑いが生じはじめた。こんなふうに撮りつづける意義が一

【原注】† **サンダンス映画祭** アメリカで立ち上げられた、世界屈指のインディペンデント映画祭。

5 **三・二三行政院突入事件** 二〇一四年三月二三日、ひまわり学生運動の最中、一部の学生が行政院に突入し、警察との衝突により負傷者を出した事件。

6 **沈可尚** 一九七二年生まれ。台湾の映画監督。短編映画、劇映画、ドキュメンタリー映画などを幅広く手掛ける。

7 **『幸福定格』** 意味は「幸福の基準（フォーマット）」。

8 **邱顕智** 一九七六年生まれ。台湾の弁護士。台湾独立派の新党「時代力量」第三代目党首。

体どこにあるんだろう、と。為廷が邱顕智（チウ・シエンジー）[8]弁護士の選挙キャンペーンを手伝うために新竹へ行ったとき、またいくらか撮影したけれど、すでに興味は薄れつつあった。選挙に立候補した為廷は、過去のセクハラが明るみに出た後、第一線を退いた。為廷の今の仕事が、本当にやりたかったことなのか、それともやらざるを得なかっただけなのか、断言することはできない。わたしのビデオカメラはずっと為廷という人物に焦点を当てつづけてきた。為廷がただの裏方にまわったとき、この映画にどのような意義があるのか、急にわからなくなってしまった。

　後から考えると、それは人物メインのドキュメンタリー映画を撮るときに陥りやすい落とし穴だった。わたしは後になって、自分が陳為廷と蔡博芸だけを注視し、社会を変えたいという期待をすべて彼らに投射していたことに気づいた。だから、陳為廷が一般の人と変わらない生活を送るようになり、蔡博芸に以前のようなパッションがなくなると――博芸は行動ではなく文章によってスポットライトを浴びたけれど、その後匿名でしか執筆できなくなり、書くごとに政治と関わりのない内容になっていった――、これ以上何が撮れるのかわからなくなって、撮影する意欲を失ってしまったのだ。

　これが劇映画なら、素晴らしい筋書きだと言えるかもしれない。山あり谷ありの展開は、次々とストーリーの山場をつくってくれるから。でも、これは二人の人生なのだ。わたしはあの二人と社会運動が社会に変化をもたらしてくれると期待していたから、こんなふうな結末はどうにも受け入れがたかった。対話と社会運動が本当に社会を変えられるかどうかを見たいと、ずっと望みつづけてきた。今、その旅は果てのない終点にたどり着いてしまったかのようだ。わたしの期待は一場の夢と化し、かつて共にした理想と行動は、みんなわたしから遠ざかっていくかのようだった。

情熱が衰え、意義がわからなくなってしまったわたしは、本当に自分がやりたいこととして映画制作を続けることができなくなった。とはいえ、国芸会の補助を受けている以上、映画は必ず完成させなければならない。適当に編集して提出するのはどうだろう、とまで考えた。とても消極的な気持ちで、どうしていいのかわからなかった。でも、「そんなの悔しい!」とも思った。あんなに長い間心血を注いできた映画のラストを、最後の最後で適当なものにしてしまうなんて、と。だから、角度を変えて考えてみた。まだ映画をつくりあげたいと思う気持ちがあるなら、早くしなくちゃ。わずかに残った情熱が完全に消えてしまう前に、完成させなくちゃ。まるで青春の尻尾を、最後に一度だけ、懸命に捕まえようとするかのように。陳為廷と蔡博芸の物語を一編にまとめようと決めたのもこのときだった。別々に二人を撮ったけれど、同じような初志から出発しているようだということを、うっすら感じていた。

もちろん会社に入ったわたしには、個人創作以外の仕事がある。この映画は入社前につくりはじめたものだから、仕事の時間を使って作業することはなかった。みんなわたしを尊重してくれて、社内のプロジェクトとして製作・配給するように強制されたりはしなかった。ただわたしには、素材が多すぎて見るのにたいへんな時間がかかるし、全身全霊を傾けてこの映画をつくろうとしたら、仕事に専念できなくなってしまうという葛藤があった。可尚とプロデューサーの廷儀に悩みを打ち明けたところ、二人は本当に天使のようで、「問題ないよ、会社に持ち込んで作ったらいい。労働時間に含めたってかまわない」と言ってくれた。

ああ、なんて優しいんだろう！　そこでわたしは半年あまりの時間をかけて素材をチェックし、一つ目のバージョンをつくって二人に見せた。映画のラストには「インターナショナル」を歌うシーンを入れた。最終的に上映したバージョンのラストと同じく、陳為廷がみんなを率いて「インターナショナル」を歌う。このシーンはわたしをもの悲しい気持ちにさせた。歌声を聴きながら、あのころの情熱は今どこにいってしまったのだろう、と思う。二人は作品を見終わって初めて、わたしがここ数年かけてやってきたことを知った。二人は一目でこの映像記録の価値を見抜いた。けれど憂鬱と困惑に陥っていたわたしは、そんなに良くないと感じていたし、どこに意義があるのかわからなかった。当時、映画にはまだ自分自身のモノローグが入っていなかったので、わたしが本当に伝えたいことを二人ははっきりとはわかっていなかった。特に可尚監督は、わたし自身の視点が見えないと感じたようだった。

プロデューサーはこの映画の潜在力を見てとり、会社に持ち込んで共同作業することを提案した。そうして、『私たちの青春、台湾』は正式に会社の業務に加わったのだった。わたしがこの映画を撮りはじめたときは、一人きりの作業だった。撮影の過程で陳為廷、蔡博芸との関係はどんどん親密になっていったけれど、何と言っても記録者と撮影対象の関係だ。映画の完成が近付くころ、二人には様々なことが起こっていて、わたしたちは以前のようにいつも一緒にいることはできなくなったし、わたしは一人でこの映画を完成させなければならなかった。会社に入って、わたしを助けてくれるチーム、あのころ経験した意義を取り戻すよう奮い立たせてくれるチームに恵まれるなんて、想像もしていなかった。

　仕事の面で、可尚は自分自身に対する要求が非常に高く、まわりの人から促される必要もなく、自分で自分に鞭を打っていた。でも本当に要求が高すぎるので、自己疑念のループに陥ってしまいやすいところがあった。だからわたしのような自分に対する要求がそんなに高くない人間が、隣でたいしたことのないパイロット版をつくっているのを見ると、これじゃダメだなとでも思うのか、やって来て手を動かし、わたしの失敗した足跡をふまえて前進していく。そんなわけで、可尚がわたしに出会ったのも、すごく幸運なことだったと言えると思う。わたしは自尊心が高い人間だけれど、可尚がわたしを踏み台にして前進していくことを望んでいる。それによってより良い成果が生み出されると信じているから。もちろん、突然のコメントに否定された気持ちになることもあるけれど、わたしは否定的な意見に耳を傾けることを望むほうなのだ。

　以前、大学院時代の仲間に『私たちの青春、台湾』の二つ目のバージョンを見てもらったことがある。見終わった後、やはりわたしの視点が見えないという意見が出た。発言した人物によって価値を決めるところがあるわたしは、この子には理解できなかったんだわ、と思った。可尚も同じようなことを言ったけれど、長所をいくつか褒めてから、わたしがやりたいことを理解したうえで、短所について話してくれたので、可尚の意見の方が納得しやすかった。

　友達の意見を可尚に伝えると、とても良い友人だね、ありのままの気持ちを話してくれる友人がずっとそばにいてくれるといいね、と言った。わたしはもう一度可尚の言葉を細かく検討してみた。そして理解した。否定的な意見があるからこそ、作品をより良くすることに思考が向かうのだ。もしも全員が、すごく良いね、もう十分だよ、と言ったなら、作品は本当にそのままのところで終わってしまう。今までこんなふうに力強く要求を伝えてくる人はいなかった。プロデューサーや他の人たちから意見をもらうことはあったけれど、どれもこんなに厳しいものではなかった。

可尚はいとも簡単に物事の本質と問題の核心を見抜くことができた。チームの中で、みんなは些細な問題に拘泥しがちだったけれど、可尚は重点がどこにあるのかわかっていた。一種の天性の直観力だ。わたしも自然と影響を受け、自分自身に問いかけることを学んだ。この映画の本質は？　核心となる問題は？　わたしが伝えたいことはなに？　そういう方向で答えを探求しつづけ、そういう視点でここ数年間撮影してきた素材を見るようにした。ある程度物事の意義を察することができるようになり、そのなかの感情も見えるようになった。わたしはもともと理性的思考のレベルから政治対話を捉えてきたのだけれど、後になって気づいた。人と人というのは、最終的にはやはり感情の共鳴なのだ、と。

わたしたちの世代の物語

『私たちの青春、台湾』には全部で一二種類のバージョンがあり、非常に長い道のりを経てきた。制作中、可尚はいつもわたしに、ただ登場人物の背後に隠れているのではなく、傅楡（フー・ユー）という作者を表に出すように言った。自分自身の姿を現して、すべてのことと誠実に向き合うよう求めた。

だからわたしは、自分のありとあらゆる恥ずかしい部分、どうしようもない部分を映画に入れた。

二〇〇分間の一つ目のバージョンを見た後、可尚はわたしに、陳為廷、蔡博芸の二人とよく話し合うべきだと言った。映画には二人の主役以外にも、台湾、香港、中国のたくさんの若者たちが登場する。可尚は、あの二人やわたし個人に対してだけではなく、あのときわたしが記録した、共通の理想を抱いているように見える若者たちみんなに関心を向けた。けれど今、青春ざかりのあのころの物語は過去のものになってしまった。みんなは当時の自分たちのことをどう考えているのだろう。あのころの青春をどう捉えているのだろう。可尚は言った。これはあの二人の物語でも、きみたち三人の物語でもなく、この世代の人たちみんなの物語なんだ、と。

そこでわたしは陳為廷と蔡博芸を呼んで、編集成果を見てもらうことにした。

二人をちゃんと撮らなくなってから一年余りが経っていた。二人が変わってしまったように感じられて、情熱がなくなってしまったのだ。前に一度、二人と別々に話をした際、どうして社会運動の現場に行かなくなったの、とたずねたことがある。二人は期せずして同じことを言った。年をとったんだから、それが普通だよ、と。陳為廷はこうも言った。学生のときはわりと時間があったけどさ、社会に出たら仕事を探さなくちゃならない。みんなそうでしょ？

それを聞いて、わたしはまったくいい気持がしなかった。だから何なの？　わたしはとっくに仕事に就いて、とっくに社会に出ているわ。あなたたちは本当に、あのとき学生だったからというだけの理由で、社会運動に参加していたの？　まさか本当に、信念でも、理想でも、理念でもなく、ひとときの情熱に過ぎなかったというの？　わたしはひどく落ち込んだ。大人になったら誰もがリアリストに変わるの？　あるいは平々凡々を志向するようになるの？　悔しい気持ちになるのは、二人が何かを忘れてしまったから、初心のようなものを失ってしまったからなんじゃないかしら？

だからわたしはこんな一方的な望みを抱いた。もし二人に過去の自分たちを見せたら、あのころの情熱と理想が二人の記憶を呼び覚まして、かつての初心を思い出させてくれるのではないか、と。

結果として、映画を見終えた後の二人の反応は予想に反するものだった。感動して、何らかの感慨を述べてくれるはずだと思っていたのに。だけどわたしは自分の葛藤と困惑をぶつけることはしなかった。二人は仕方なさそうに「自分たちが今考えていることを、どうして人に説明しなくちゃいけないわけ？」と言った。二人はわたしの質問が無意味だとさえ思っていた。膠着状態を何とかしたかったのか、陳為廷は我慢できなくなってこう言った。なんで当時みんながああいう選択をしたのか、そういう細部を思い返すことをすべきで、後の実践成果から理念や価値を検討していってこそ意味があるんだよ、と。

予期していた結果とは落差があった。わたしはあべこべに「じゃあわたしのことはどう思う？」とたずねた。二人の中に答えを見つけるのではなくて、自分自身に問い返さなければだめなのだということを、このときわたしはすでにぼんやりと意識していた。これも可尚監督に啓発されたおかげだ。

為廷と博芸に映画を見てもらって、二人と話し合うために出掛ける直前、可尚監督はわたしに

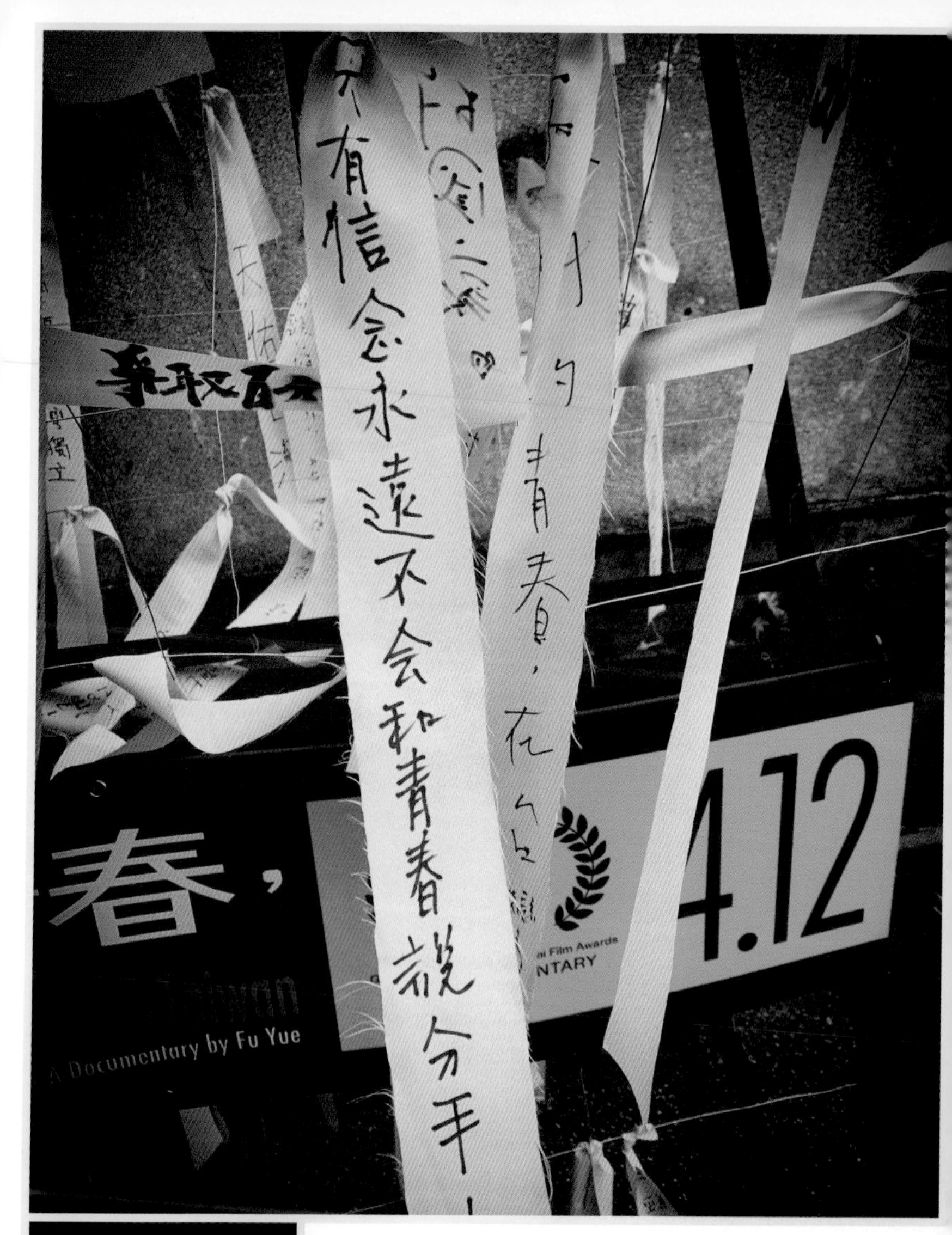

「信念さえあれば
青春と別れることは
永遠にない」
——沈可尚監督

わたしの青春、わたしの家族

❶黙々と家族を守ってきた父は、傅楡のドキュメンタリー映画の最良の支持者でもあった。『私たちの青春、台湾』上映後、つごう四回も作品を鑑賞した！
❷母の教育方針が傅楡に与えた影響は大きい。二人は意見が食い違うこともあったが、生活の端々から、母が自分の娘をとても誇りに思っていることが見てとれた。
❸傅楡と一緒に成長してきただけでなく、妹は大人になった後も、傅楡のドキュメンタリー映画の撮影・製作における良きパートナーとなった。
❹傅楡が小学五年生のときの誕生日写真。

③

④

❶高校時代、友人と一緒にベリーショートにした傅楡（右）。貴重なユニセックス・ファッションの記録。
❷❸政治、政党の盛り上がりに影響されたからか、傅楡と友人たちは遊びで「唯我無敵ホラ吹き党」、略して「唯無ホラ党」を結成した。

民主台湾とともに成長した、わたしの青春時代

❹「唯無ホラ党」のある「党員」の誕生日、「党員」みんなで誕生日プレゼントに国旗を贈った。
❺大学時代の親友と一緒に写真に納まる傅楡(左)。

❶❷傅楡は大学院の卒業制作『鏡よ、鏡』の中で、自分の父母と友人の父母を招き、それぞれ映画の中で自分の政治的立場を語ってもらった。ドキュメンタリー映画を通じて、二つの家庭、異なる立場の人を、互いに交流、理解させようとする彼女のはじめての試みだった。

第二章
反藍即綠?

『青と緑の対話実験室』

❶❷ドキュメンタリー映画『青と緑の対話実験室』の中で、傅楡は政治傾向の異なる若者たちをセッティングして、台湾の政治に関するテーマで討議させ、さらに当時の国民党と民進党の若手スポークスマン（上図）を招き、一緒に対話させた。

321 小時
官逼民反
CIVIL REVOLT
永不放棄

『私たちの青春、台湾』

台湾の政治、社会に対する観察と、若者の政治参与に対する関心はなおも続いた。傅楡はドキュメンタリー映画『私たちの青春、台湾』の撮影を二〇一二年に開始し、二〇一八年に完成させた。

『私たちの青春、台湾』の主要人物の一人、『青と緑の対話実験室』の撮影で知り合った若き社会運動家・陳為廷。

『私たちの青春、台湾』の主要人物の一人、「台湾で過ごす青春」を執筆したことで一躍有名となった蔡博芸。

堅持民主

立法院の外では、若い学生たちが「民主を堅持しよう」などのスローガンを高く掲げて抗議や要求を表明した。

二〇一四年の三・一八ひまわり運動で、学生たちが立法院を占拠した現場。

❶ラストが決まらないドキュメンタリー映画、主要人物たちの再び来ない青春の情熱。様々な喪失や疑惑、悲しみなどの感情が、涙となってあふれでた。しかしそれは、傅楡が「青春」の答えを見つけたときでもあった。
❷傅楡のレンズは知らず知らずのうちに、蔡博芸と陳為廷に向けられていた。
❸民主への道のりにおいて、一個人や、ある小グループだけが孤軍奮闘してきたわけではない。
❹『私たちの青春、台湾』で最終的に描き出されたのは、ある世代が理想を追い求め、民主のために声を上げる物語である。

❷
❸
察
❹
不畏惡權
台灣之光
撐到底
自己國家自己救
反媒體巨獸
青年聯
自己媒體自己作

跟他們談完之後，我一直反覆的在
到底在笑什麼呢？
我回答他們的是，因為我覺
我們沒有共同的理想
什麼好像要我沒有呢了
一種情緒，因為他們
答我的問題，要我得
我覺得他們明明
只是不願意承認，那
天真。而我說了會笑，
夢想真的很傻，卻
感動。應該是因為
不能理解又想

但是後來我發現，我為什麼笑，好像不是最重要的。重要的應該是他們的回應，還有那一整段的感覺。
我笑了，是因為當初的理想，卻沒帶來任何改變，然後他們安慰我，改變沒那麼容易，他們還在自己的方向上努力，可是你也不應該把自己的理想套在我們身上吧？自己有理想就自己去做啊。說我自己的好像就是這樣，然後我就突然想到那段太陽花運動的素材了。
所以的確是，反覆看著這段對話，我突然覺得，這種感覺好像似曾相識。仔細去想，真的一模一樣！

很努力，平常……
才架構，我覺得這樣的自己很糟糕，……的自己，感到非常愧疚。或許，他對我也的確有失望吧？

——

蔡博藝終於進到議場內，她在議場內其實也蠻危險的。應該是因為這樣，所以她比較常待在外面吧？她如果不說，其實我還真的沒有顧慮到陸生的心情，可是即使知道了，還是覺得……

這天在外面監督立法，我覺得……有點無聊，但好像也不能這樣……因為我知道那很重要，如果這……會期沒有通過這個法案，下次……不知道要等到什麼時候了，可……他們有些委員會為了不想讓法案……，而故意用方法拖延會議的……。我可以理解，但是我不接受……，難道沒有更好的方法嗎？……這3天在那裡監督，但最後……

を心配していた。

「どんなふうに二人と話すつもり？」と聞いた。わたしは思考が散漫で、話しているうちに何を話しているのかわからなくなってしまいがちだ。可尚はわたしの中で核心が定まっていないこと

わたしは質問したいことを列挙した。そのほとんどは、撮影当時訊くことのできなかった些末なあれこれだった。たとえば、「二人が選択の必要に迫られたとき、心の中で思っていたのはどんなこと？」といった感じ。実際のところ、これらの質問はわたしの自身の解釈のようなもので、二人が本当にそんなふうに考えていたということを証明したかったのだ。可尚はわたしが書いた質問を見た後、たずねた。本当にこんなことが訊きたいの？　これって大事なこと？　自分で全部わかってるでしょ。

そのときは実際的な検討から映画制作を行っていたから、たとえ自分が答えを知っていたとしても、それが確かであることを実証する必要があった。二人が話していないことを映画の中に入れるわけにはいかなかった。

可尚は質問が些末すぎると感じたようだった。「このシーンを撮ろうと思ったのはいったいなぜ？　二人を訪ねようと思った理由、二人に映画を見せたいと思った理由は？　いったい何がしたいの？」と、穏やかに、けれど鋭くたずねた。

答えを迫られたわたしは懸命に考えた。

可尚は質問方法を変え、「このシーンを追加撮影しようと思った一番初めの理由を、一言で説明するなら？」と訊いた。

「どんなラストにすればいいかわからなかったから」。わたしの答えはぐっとストレートになった。

「それでいいんじゃないかな？」と可尚は返した。

可尚の考えはこうだ。「それこそが答えなんじゃないかな？　これまでの過程であんなに努力してきたのに、今となってはどんなラストにすればよいのかわからない――これこそが、今きみが行動している最大の動機なんだよ。だから、二人に引っ張られてはならないし、問題を二人に押しつけてはならない。自分自身に問いかけてみるんだ。自分が今考えていることは何なのか、あの二人に対して、自分自身に対して言いたいことは何なのか。それをこの映画の中で言えるかどうか。大事なことは自分自身にあるんだ」

この可尚とのやりとりの後で、わたしは前に踏み出した。だからあのとき、わたしはやっと問題を自分自身に戻すことができた。「じゃあわたしのことはどう思う？」

質問を口に出して気づいた。わたしはこんなに恥ずかしい人間だったんだ、どうしたらいいのか自分では本当にわからないんだ、と。もとより問題は自分自身にあったのだ。わたしは喋りながら泣きだしてしまった。

為廷と博芸は二人して慌てふためいた。ドキュメンタリー監督であるわたしが二人の前で泣いたのは初めてだったから。わたしは泣き虫だけれど、こんな失態を見せたことは今までなかった。なんといっても二人より十歳近く年上だし、二人を撮影した映画の多くは賞を獲得している。だから、二人はわたしのことをとても有能な人間だと思っていただろうし、わたし自身もそう思っていた。
十歳も年上の、多くの賞をとってきた人間が、自分自身が何を考えているのかもわからず、自分自身の問題がどこにあるかもわからないなんて、思いもしなかっただろう。わたしのことを、とても自主性があって、自分がやっていることをはっきり理解している人間だと、そう思っていたはずだ。ところが実際は……映画のラストをどうしていいかわからない？　そんなのは自分自身で片付けられることでしょ？

　わたしが泣き出したとき、蔡博芸の反応は早く、すぐさま「早く監督を撮って！　早く！」と言った。なんとカメラマンは博芸の言葉に従って、わたしが指示したわけではないのに、本当にカメラを向けてきた。その瞬間、わたしたちの力関係は逆転した。本来、ドキュメンタリー撮影における解釈の権利はわたしにあった。二人はわたしに掛け合って、特定のことを撮影させない選択はできるけれど、ドキュメンタリーの撮影者はわたしなのだから、最終的な解釈の権利はやはりわたしにある。結局お互いの関係は対等ではないのだ。

　だけど今、ビデオカメラはわたしに向けられた。わたしはみんなの眼前にさらされて、二人と同じ位置に立たされて、二人と一緒に観衆からズームインされているかのようだった。レンズの後ろに隠れて人物を撮影するドキュメンタリー制作者ではなくなるときが来るなんて、思いもよらなかった。わたしは映画の中に入った。そして意識した。以前可尚監督が見抜いたように、これはあの二人の物語というわけではなく、わたしの物語というわけでもなく、わたしたちの世代の物語なのだ、と。

そのとき、わたしはこれこそが映画のラストだと悟った。

けれど自分がなぜ泣いているのかはよくわからなかった。二人もなぜわたしが泣いているのかわからず、驚きうろたえていた。実のところ、二人はずっと、わたしが当時こんなふうに考えていたのではないかと思っていたらしい。「自分たちはもともと同じ理想を抱いていたんじゃないの？　どうして二人とも、まるでそんなことはなかったかのようにしているの？」と。二人は困り顔で「あってる？」と訊いた。なぜわたしが泣いたのかについて、正確な答えはない。けれど、これまで撮影者として撮影対象の人生を盗み取ってきた罪悪感は、完全とはいかないまでも、この一幕の後、だんだん軽くなっていった。わたしたちはみんなこの物語の一ピースで、わたしもまた自分自身を人前にさらしたのだから。ビデオカメラが向きを変えたあのシーンは、わたしにとって非常に大きな意味があった。それはまったく予期していないことだった。

編集の間、繰り返しこれらの素材を見た。注意深く見れば見るほど、あの涙には多面的な意味があると感じた。わたしは夫にも訊いてみた。夫もその場にいたし、第三者の視点の方が的確なこともあるからだ。「きみの表情ヘンじゃない？　まるで片思いのような、一方的な思い込みのような。追いつめられて、たまらなくなったみたいな」と夫は言った。

自分たちは一緒だと思っていたのに、みんなはそんなふうに考えていないことに気付いて、捨てられたかのようなやるせなさと受け入れてもらえない切ない感じがあった。わたしは二人の後ろをついていきながら、自分たちは同じ場所へ向かっているのだと、身勝手な幻想を抱きつづけてきた。それがわたしと二人の関係だった。でも実際のところ、わたしは二人の足取りにはついていけなかった。わたし一人が取り残されてしまったとき、はっと悟った。わたしたちはもともと独立した一人の人間で、それぞれに自分の向かうべき場所があるのだ、と。わたしが泣いた最大の理由はこれだ。

　わたしはそこでやっと映画の本質のありかを見つけ、この部分を映画の本編に入れることを決めた。三つ目のバージョンはそのようにつくった。

　ただ、このシーンをどう配置すれば良いのかわからず、初めの方の試作結果は少しおかしなものになってしまった。モノローグを加えてみたものの、とてもぎこちなく、感情がこもっていない。それを見た友達や仲間、もともと一緒に仕事をする予定だったエディターは、みんな腑に落ちない様子で「本当にこういうふうにしたかったの？」と言った。自分を映画に入れるドキュメンタリー監督なんてめったにいない。「こういうのはメイキング映像でやればいいんじゃない？」「二人の物語として素直に編集した方がいいよ！」と言う人もいた。

　悔しかった。とても重要なことを悟ったのに、そのときはまだ十分に表現できていなかったからか、みんなわかってくれない。このバージョンはわたしと可尚の対話に近かった。自分で自分をよく見つめて、自分自身を映画に入れてみるというのは可尚のアドバイスだ。だから、どうしてわたしがこんなふうにしたのか、可尚ならきっと理解してくれると思った。たとえ良くないところがたくさんあったとしても、この映画が何を訴えているのか、可尚なら気づいてくれるはず。

　見終わった後、可尚からはプラスの言葉が返ってきた。やっぱり、可尚だけはわたしのことを信じてくれている。可尚はこんなふうに言った。「このシーンを入れたのは成功だね。きみ自身が入ったことで、二人の登場人物とは別の重みが生まれた。あの二人の物語ではなく、きみたち三人の物語に、ひいては一群の人々の物語に変わった。でもきみはまだ自分のキャラクターを完全に出せていない。ただ登場しただけで、モノローグも十分じゃない。誠実に自分自身を見つめていないんだ。あの二人にはそれぞれ山場があって、谷がある。二人には二人の成長がある。だけどきみはどうだい？　きみにも自分自身の成長と気づきがあったんじゃないか？　それが打ち明けられていないだろう？　理想を追い求めた後に幻滅するという過程を、二人と一緒に経験したんじゃない」

そこでわたしはモノローグをもっと深めることにした。自分が大泣きした原因を再度検討し、それを書き出そうと試みた。三つ目のバージョンになっても、本質は依然として浮かび上がってこず、ただ表象を放り込んだだけだった。泣いた理由、泣いたことの背後にある自らの期待の投射、これらが一つに繋がっていなかった。四つ目のバージョンができあがったとき、わたしはだいぶ良くなったと思ったけれど、可尚はまだ十分ではないと感じたようだ。

「もう少し誠実にならないと」と可尚は言った。

わたしは困惑した。どこが誠実じゃないの？　もう全部さらけ出しているのに。「きみは理性的すぎるときがあるからね」と可尚は返した。

確かにわたしはモノローグを書くとき、それぞれの段落でどんなことが起きたのかを、理性的な態度で観察するところがある。それに、映画の需要によって、特定の目標に基づいてモノローグを書く。こういうモノローグは深いものになりにくいし、共感を呼ぶことも難しい。可尚はわたしにこうアドバイスした。あの頃の日記を後から書いてみるんだ、自由なやり方で。自分が何を書いているのかとか、この文はどこで使おうかとか、そんなことはあまり意識しなくていい。映画を撮影していた期間、そのときそのときの状態を、自由なやり方で思い起こしてみるといい。

これまで撮影時を真剣に振り返ったことがなかったことに、わたしは初めて気づいた。たとえばあの運動で何をして、あの日あのとき何を考えたのか。ビデオカメラを持って現場に行ったのはなぜだったのか。もともとのモノローグでは、あの運動がどのようにして起こったのかという点を解説するだけで、わたしの内面とあの運動にどのような繋がりが生じたのかについては説明していなかった。わたしは「後から日記を書く」ように一つ一つ回想していくことで、当時はっきり考えていなかった多くの事柄に気づいた。

わたしって本当にダメ。運動の中で自分が感じたことに対して、どうしてこんなに無関心、無自覚でいたんだろう。

ここ数年、わたしのカメラレンズは陳為廷と蔡博芸を追いかけて、運動の現場を動き回っていた。わたしはずっと二人を見ていた。だけどわたしの主体性はどこ？　一番初め、博芸が淡江大学の学生会長選挙に参加したとき、実を言うと少しばかりの疑念を持っていた。その疑念は口に出せないものだった。中国の学生である博芸が、台湾にやって来て学生会の会長になることを選ぶなんて、もしかしたら大陸のどこぞの機関の差し金なのでは？　統一戦線工作や浸透工作のために台湾に来た可能性は？　当時わたしは博芸のことを百パーセント信じていたわけではなく、そんなふうに疑う気持ちを心の底に隠して、口には出さずにいた。後に、博芸は校内選挙で対立候補の妨害に遭う——明らかに、相手もまた中国籍という博芸の身分に文句をつけたのだった。他にも、たびたび社会運動に参加したり、校務に対して異議を唱えたりした点が、学校側から嫌がられていたことも影響したのだろう。今、わたしは後から日記を書くようなやり方で、あのころの、博芸を完全には信じられなかった気持ちを思い起こした。長年の仲間だというのに、そんな考えが生じたことを、本当に申し訳ないと思う。もちろん、わたしたちはもとより違う人間で、違う主体性を持っている。重要なのは、違う人間同士であっても、不理解から理解へ、不信頼から信頼へと変わる機会があるのではないかということだ。回想しながら博芸に対して申し訳なく思ったのは、わたしと博芸の「違い」を、当時のわたしは誠実に省みていなかったから。——実のところ撮影中ずっと、わたしは「二人とは違う」自分自身の主体性をどこに入れれば良いのかわからずにいた。

二人のスタイルに、わたしは本当に心を惹かれた。その魅力は理屈だけでは説明できない。わたしは二人に関心と愛情を注ぎ、二人から希望を感じた。回想しながら、二人に対する感情と期待と失望を、すべて日記の中に書いた。最後に日記の中から取り出した一番重要な部分は、わたしが一番人に見られたくない部分でもあった。その部分を見て初めて、わたしがどうしてこんなふうなのか、あの数年にわたしが一体何を経験したのかを、みんなに理解してもらえるのだと思う。

青春・政治三部作 その三――ドキュメンタリー映画『私たちの青春、台湾』

本作品はもともと『青と緑の対話実験室』の続編であり、『鏡よ、鏡』と『青と緑の対話実験室』の軌跡に沿い、本来の撮影期間は総統選を境とする二〇一二年から二〇一六年までの間に設定されていた。しかし関心の重点は単純な台湾の「青・緑」問題から、台湾に対する中国ファクターの影響と中国民主化の可能性を思索する方向へと転じていった。二〇一一年、国民党政府が中国籍の学生に対して台湾での学位取得を初めて開放したことにより、中国籍の学生が台湾で生活する機会と時間が増加した。傅榆（フー・ユー）はこの契機に飛びつき、「青と緑の対話実験室」という形式で、両岸三地〔台湾・香港・中国〕の学生による民主対話実験の実施を促したいと考えた。しかし、社会運動に熱中する第一期の中国籍学生・蔡博芸（ツァイ・ボーイー）と知り合い、さらにその数年で台湾の社会運動が一層活発化し、陳為廷（チェン・ウェイティン）もまた次第に公衆の面前で頭角を現して学生運動のスターとなり、二〇一四年に三・一八ひまわり運動が起こったことで、この一連の変化の中、傅榆のカメラレンズは陳為廷と蔡博芸という二人の主役により一層フォーカスするようになった。彼女が初めに設定したテーマと形式からは離れたものの、より深く運動の中の「人物」に切り込むことになったのだった。

本映画の上映時間は約一一八分。台湾人の陳為廷、中国籍学生の蔡博芸、そして台湾で生まれ育った華僑子女の傅榆、この三人の物語である。作品中、カメラレンズは主に陳と蔡という二つの軸を行ったり来たりしながらフォーカスし、傅楡はモノローグ方式で時折「声を現す」のみ。初めに傅楡が語るのは、もともと社会運動を恐れ、仲間外れにされることを恐れていたということ、生まれ育った家庭が国民党寄りだったという背景、そして陳為廷らに接触した後で生じた変化についてだ。彼女は陳為廷・蔡博芸と知り合った経緯を回顧し、二人がスターになっていった過程を提示する。傅楡はモノローグの中で極めて誠実に自己分析を行い、「運動がどの程度進展しているのか、わたしにはよくわからなかった。毎回現場に来ていたのは、そこに陳為廷がいたからだ」と認めてさえいる。

陳為廷は傅楡が以前に「青と緑の対話実験」を行ったときのメンバーだったため、本作でも『青と緑の対話実験室』の一部シーンが引用されている。たとえば陳為廷が国光石油化学工場建設反対運動で「おやすみ台湾［晩安台湾］」を高らかに歌うシーン、自分の部屋を紹介するシーンなどだ。蔡博芸は「台湾で過ごす青春」という文章を書いたことにより、ネット上で人気が爆発し、その後様々な土地に関する議題や土地徴収反対運動に注目しはじめた。映画開始から二五分ほど経ったあたりで、監督は「わたしたちの共通の理念のために何かしたかった」と自ら認めている。そこで「中国・香港行き」を計画し、陳為廷と共に、新刊書の発表のために故郷へ帰っていた蔡博芸のもとを訪ね、さらに香港へ足を向け、似通った理念に賛同している可能性のある若者たちと交流したのだった。

台湾に戻った後、陳為廷と蔡博芸は様々な運動に参加しつづけたが、仕事を抱える傅楡は、常々彼らについてまわることはできなかった。そのころ、盛んに社会運動が行われていたが、政府機関と衝突しても何ら結果を得られないというくり返しに、傅楡の情熱は薄れ、現場に行く気もなくなり、ついには三・一八ひまわり運動が起こった夜の重要シーンを撮り逃してしまうことになった。監督はわずか二〇分ほどの尺で三・一八ひまわり運動を描いているが、運動そのものの全景をとらえようとするのではなく、立法院議場内の陳為廷・蔡博芸が直面した状況に重点を置いている。たとえば、運動中に漂う「反中」の空気の中で、中国籍学生として蔡博芸が感じたこと。スターになった後、あらゆる群衆の期待に応えることができなくなった陳為廷の苦境。それから立法院内の決定会議で浮き彫りとなった民主主義の難しさなどだ。

三・一八ひまわり運動の後、二つのストーリーラインは、なおも整った対比を見せる。蔡博芸は淡江大学の学生会長選に挑むが、中国籍であることから統一戦線の意図があると見なされ、最終的に対立候補の選挙戦略によって落選した。陳為廷は立法委員選挙に参加するが、爆発的に広まったスキャンダルにより「スターの座」から転がり落ちた。二人の主役が社会運動からフェードアウトしはじめたとき、これまでずっと「モノローグ」役として身を隠してきた傅楡は、さらに大きな問題を意識するようになる。「二人の主役の記録を通して、社会運動や台湾・香港・中国の公民社会が相互に繋がる可能性を、より多くの人々に信じてもらいたいというのが当初の考えだった。しかし、もし二人の主役がこのテーマに沿う形のわかりやすい成果を出さなかったなら、その上、それぞれの人生の次のステップに向かって歩みはじめたなら、このドキュメンタリー映画のラストはどう締めくくれば良いのだろう?」と。

そこで映画の冒頭に陳為廷と蔡博芸が共に本映画を鑑賞するシーンを持ってきた。傅楡は自分自身の問題を意識した。映画のラストをどうすべきかわからない、理想の成果に到達しなかった経験をどのように扱えばよいのかわからない——それは自分自身のことなのだと。そうして真摯に自己と向き合ったことにより、本映画に一貫して潜む第三の軸、すなわち「傅楡本人の物語」が遂に成立したのだった。

『私たちの青春、台湾』のタイトルに含まれる「青春」は、蔡博芸の名文「台湾で過ごす青春」に呼応しているだけでなく、全撮影過程を通して得た反省に基づいて、新たに「青春」の定義を付与したものである。本作品は二〇一八年に第二〇回台北映画祭最優秀ドキュメンタリー映画賞、第五五回金馬奨最優秀ドキュメンタリー映画賞を受賞した。二〇一八年一一月一七日、傅楡は金馬奨授賞式におけるスピーチで次のように述べている。「本作『私たちの青春、台湾』を、政治についての映画だと思っている人が多いのですが、本作でより多く描いているのは青春なんです。青春は美しいけれど、過ちも犯しやすい。わたしたちは誤った期待を簡単に人の上に投射してしまいがちです」。これは本映画の最良の注釈と言えるだろう。

第七章　あなたのこれって、「台独」ですよね

二つの受賞スピーチ

二〇一八年一一月一七日、県・市の首長選挙の一週間前、わたしは台北市国父記念館の公演ホールに着席し、金馬奨授賞式に参加していた。その年の金馬奨はとりわけ盛大だった。アン・リー[1]が金馬奨主席を引き継いだ一年目の年で、審査委員長はコン・リー[2]、両岸［台湾と中国］からやって来た多くの映画関係者たちが授賞式に参加していた。最優秀ドキュメンタリー映画賞が発表され、『私たちの青春、台湾』が賞を獲得した。壇上に上がってスピーチを行った際、わたしは映画の中の自分の青春や、かつて自分の期待を人に投射していたという反省を、国の先行きに対する考えと一緒に語った。

1　**アン・リー**　李安。一九五四年生まれ。台湾の著名な映画監督。アカデミー賞、ゴールデングローブ賞をはじめとする多数の受賞歴を持つ。代表作は『グリーン・デスティニー』『ブロークバック・マウンテン』『ラスト、コーション』など。

2　**コン・リー**　鞏俐。一九六五年生まれ。中国遼寧省出身の著名な女優。一九八七年、チャン・イーモウ監督作品『紅いコーリャン』でデビューした。

本作『私たちの青春、台湾』を、多くの人が政治を描いた映画だと思っているようなのですが、本作でより多く描かれているのは青春なんです。青春は美しいけれど、過ちも犯しやすい。わたしたちは誤った期待を簡単に人の上に投射してしまいがちです。このような過ちは人と人の間だけでなく、国と国の間にも起こり得るものです。わたしは、いつの日かわたしたちの国が真に独立した個体として見なされることを心から願っています。それがわたしの台湾人としての最大の願いです。

政治について話したかったわけではなく、それよりもわたし個人の気持ちを伝えたいというのが本来の意図だった。結果として、このスピーチは大きな波紋を起こした。メディアは直ちに統一・独立の方向性で解釈し、ソーシャルメディア上ではすぐさま二つの陣営に分かれ、交戦が続いた。

実を言うと、このスピーチはもともと「台北映画祭」のときに話そうと準備していたものだった。七月の時点で、すでにわたしはこのスピーチを書き上げていた。台北映画祭の規定では、その年のドキュメンタリー映画、長編映画、アニメーション映画、短編映画の各部門で最優秀賞に選ばれた作品は、百万首賞[3]の候補に進むことができる。最優秀ドキュメンタリー賞を得られたら、百万首賞を得られる可能性だってあるということだ。そんなわけで授賞式の前日、プロデューサーはわたしにこう言った。必ず受賞スピーチを二つ以上準備しておくんだよ。もし百万首賞がとれても、頭の中が真っ白なんてことになったら勿体(もったい)ないでしょ？

台北映画祭授賞式でわたしは最優秀ドキュメンタリー映画賞を受賞し、準備していた一つ目の受賞スピーチを述べる機会を得た。まず、制作中わたしを助けてくれた人たち、わたしに寄り添ってくれた人たちに感謝を伝えた。締めの言葉は「一緒に前へ向かって歩いていきたいと思うなら、自分が傷を負ったということを意識することから始めなければなりません」。

この映画に対してわたしが最も言いたかったことだった。わたしのように社会運動に参加する過程で傷を負った人たちは、自分が傷を負ったということに気づいていない。だから倒れたまま起き上がれないし、立ち上がれない。そんなふうに思うからだ。

台北映画祭のために二つ目の受賞スピーチを準備していたけれど、百万首賞は宋欣穎（ソン・シンイン）[4]監督のアニメーション映画『幸福路のチー〔原題・幸福路上〕』が受賞したから、機会がなかった。まだその時じゃないのかも、とわたしは思った。この先何らかの機会があったら、絶対これを話さなくちゃ、と心の中で密かに決めた。そんなわけで、金馬奨にノミネートされたとき、わたしはフェイスブックでノミネートの吉報をシェアするとともに、憚（はばか）ることなく、受賞したい、と書いたのだった。

わたしは本当に受賞した。壇上であのスピーチを述べた。でも、スピーチの反動はわたしの想像をはるかに超えていた。一番つらかったのは、多くの人たちに迷惑をかけてしまったことだ。長年にわたって積み上げられてきた金馬奨、その準備を苦労して進めてきた金馬奨実行委員会の

3 **百万首賞** 台北映画祭の最高賞。

4 **宋欣穎** 一九七四年生まれ。台湾の映画監督。

皆さんもそう。こんなことになってしまって、後悔しないというのは無理な話だ。こんなに大きな影響を与えることになる、こんなに多くの代償を払うことになると事前にわかっていたら、もう少し慎重になって、先に誰かと相談したかもしれない。もちろんそれは後になってから思うことで、受賞スピーチについて誰かと相談しようなんて、事前には考えもしなかった。

あの後批判する多くの人たちが、場をわきまえない発言だ、と言った。後から考えてみると、確かに場をわきまえない発言だった。だけどもしあのスピーチを述べたのが「台北映画祭」だったなら、両岸の映画関係者があんなに多く集まる場ではなかったなら、こんな結果にはならなかったかもしれない。あれは非常に長い間わたしの心の中に蓄えられていた言葉で、どんな場面でも機会さえあれば必ず伝えたいと、当時わたしは確かにそう考えていた。当日、授賞式で、わたしはとても緊張していたし戸惑っていた。他の受賞者のスピーチ内容を気にする余力はまったくなかった。中国側からの嫌がらせがあったから（あの日、わたしが壇上に上がる前、全ての参加作品を「中国映画」と呼んだりと、センシティブなことを言う中国の映画関係者がいた）、あの場であんなことを話して反撃したのだろう、と後から言う人もいた。事実は違う。あれはわたしがもともと話したかったことなのだ。わたしたちの主体性は長い間尊重されてこなかった。一日二日の話ではないし、金馬奨授賞式の中だけで起きていることでもない。批判を浴びせたかったわけではなく、誰かに「反撃」したわけでもない。わたしはただ長きにわたって抑圧してきた気持ちを伝えたかっただけなのだ。

あのスピーチをしたとき、心の中で三つの対象を想定していた。一つ目はもちろん中国政府。

二つ目は仲良くしている中国の友人たち。これまでずっと、わたしが接してきた中国の人たちはみんな道理をわきまえていたけれど、心の中ではどこか隔たりがあった。一番の理由は、多くの中国の友人たちと向き合うとき、彼らはわたしたちの友情を人と人との普遍的なつながりの上に確立することを望んで、意図的に、あるいは無意識に国家や民族のファクターを抜き去ってしまっていると感じるからだ。それは彼らの善意。だけど、わたしが台湾人として、自分の国が独立した個体として見なされることを望む重大さを、真に理解しているわけではないのだ。

本当に意志を通じ合わせたいなら、そういう話は個人的に友達に言えばいい、そう思う人もいるかもしれない。でもあのときわたしは、自分の国の主体性が真剣に扱われていないことに対する悔しさが、ずっと心の中にあったものだから、多くの人が聞いている場所でその気持ちを口に出そうと決めた。わたしは知ってもらいたかった。この気持ちはそれほど重大で、もしこの気持ちを正面から見てもらえないなら、わたしたちは本当の友達にはなれないのだということを。正直に言うと、自分が正面切って中国の友人たちと意思疎通を図る選択をしなかったのは、勇気の足りない行動だったと思う。わたしにとって、友達の前で本当の気持ちを真摯に打ち明けることは、壇上で公に話をするよりずっと勇気がいる。批判や異議を伝えようとすればなおさらだ。金馬奨受賞式のスピーチが勇敢だったと人から思われるのを、わたしが後ろめたく感じるのは、そういった理由もある。

三つ目の対象は、あの話をするまで、わたしのことをずっと誤解してきた台湾人だ。わたしはずっと、たとえ自分が何を言ってもどう行動しても、とある集団からの信頼を得られていないと感じてきた。それは、『消失しえない台湾省』[5]の中でも言及した、わたしがことあるごとに参加したいと思う仮想の集団――「独派」[6]と「台派」[7]だ。わたしはいつもこんな質問を受ける。「どうして台湾語を勉強しないの？　中国人を撮ろうとするのはなぜ？　心の中で「両岸は一つの家族」を望んでいるからじゃないの？　あなたは結局台湾人？　それともそうじゃないの？」と。台湾、そしてこの国に対する想像と、わたしにこういう質問をする人たちが、実は極めて重なり合っているということを、多くの人に知ってもらう機会が欲しかった。自分の気持ちをしっかり伝えて、みんながわたしの考え方を知ったなら、もっとわたしのことを受け入れてくれるかもしれない。少なくとも誤解されることはなくなるはず。わたしはずっとそう考えていた。金馬奨授賞式の後、確かにその通りに事が運び、わたしは受け入れられた。けれどまた不安が頭をもたげてきた。みんなはあのスピーチがあったからわたしを信頼しただけで、スピーチの裏にある特殊な文脈――わたしがこれまでにどんなことを追い求めてどんなふうに考え、人生経験と個人の真実から生まれたこんな気持ちを持つようになったのか――を深く理解できているわけではないのでは？　もしそうだとしたら、みんなが信頼して受け入れてくれたのは表面上のことで、ただわたしの肩をもっただけじゃないかしら？　わたしがみんなに知ってほしかったのは、異なる立場の間で、「違い」は「同じ」に変わる可能性があるということだった。だからわたしたちは、立場が異なる人を「排除」するのではなく、「対話」しなければならないのだ。

スピーチを述べ終えた後はずっとスマホを見る時間がなくて、そこまで大問題になっているとは知らなかった。授賞式が終わってはじめて、スピーチ後に次々と起こったことについて、立ち止まって思い返す機会ができた。わたしは時間をかけて当時のあの雰囲気を再現してみた。スピーチ後、メディアはたちどころにわたしの発言を政治的立場の表明として報じた。一週間後に選挙が迫っていたことが大きく関係していたのだと思う。実際のところ、あのスピーチは自分の政治的立場を強調しようと思って述べたものではなかった。自分の台湾人としての気持ちを伝えたかったのだ。政治的立場に関わるドキュメンタリーを撮影してきた経験から、わたしは思う。たとえ青でも緑でも、あるいはその他の立場でも、みんな同じような気持ちを抱えているのではないか、と。

わたしが壇上でスピーチしたとき、陳為廷(チェン・ウェイティン)は家で生中継を見ていて、その初めの反応をルームメイトが撮影していた。わたしに動画をシェアしてくれたけれど、そのときはスマホを確認できなかった。為廷は一時間以内に自分で動画を削除したらしい。再度アップロードすることはなく、そのときの反応を見る機会はなくなってしまった。為廷はメッセージで「やるじゃん！ちょーやばい！」と言った。わたしがあんなことを言うとは予想しておらず、スカッとしたらしい。

授賞式の後、為廷はわたしに電話をかけてきて、二つのことを話した。鄭麗君(ドン・リージュン)[8]部長はわた

---

5 **『消失しえない台湾省』** 第二章参照。

6 **独派** 台湾としての国家建設、もしくは中華民国としての独立を目指す人々を指す。これに対し、中国大陸との統一を目指す人々は「統派」と呼ばれる。

7 **台派** 台湾独立を目指す人々の中でも、特に文化・政治・経済などの面で、台湾の主体性と独自性を重視する人々を指す。

しと一緒に写真を撮ってフェイスブックに文章を投稿したことがある。そこで鄭麗君の秘書が為廷に電話をかけてきて、投稿のことを教えてくれた、というのが一つ。為廷は続けてこうも言った。「あのスピーチが、台湾・香港・中国の公民社会を再び団結させたんだ！」

わたしは為廷のように楽観的ではなかったけれど、為廷がどうしてそんなふうに気持ちを高ぶらせているのかは理解できた。三・一八ひまわり運動を支持する人、台湾の社会運動を支持する人なら、わたしの受賞スピーチを理解してくれると思う。香港だってそう。雨傘運動に参加した人、もしくは雨傘運動の価値を支持する人なら、きっと共感してくれるはず。当時中国で交流した友人たちだってきっと、わたしが本当に伝えたかったことをわかってくれるはずだ。ネット上でわたしのことを罵る中国人は多い。でも、わたしは中国人だけどあなたの言葉を支持します、というメッセージをくれる一部の人たちもいた。わたしたちを尊重すべきだと感じる中国人がいることに、とても感動した。わたしのあのスピーチが、台湾・香港・中国の公民社会を団結させたのだと為廷は言った。それは為廷の観察と理屈によるものだけれど、背後で共鳴が広がっていたのは確かだ。支持する声が大きいからこそ、反対する力がこんなにも大きくなったのだ。

ただ、為廷はこう付言した。「道義的に考えて、やっぱり蔡博芸（ツァイ・ボーイー）に電話した方がいいんじゃないかな。今面倒なことになってるだろうから」。為廷は覚悟を決めている若い中国人作家に連絡をとって、今状況がどうなっているのか、博芸は大丈夫なのかどうかについて話したという。

しまった。わたしはこのとき初めて事のまずさをはっきりと意識した。スピーチを述べ終えたときにはその重大性に気づかず、舞台裏でも特別な感覚はなかった。おかしな雰囲気になっていることに気づいたのは、自分の席に戻り、涂們[トゥー・メン9]が「中国・台湾、両岸は一つの家族」と語るのを聞いたときだ。彼がこんな話をしたのは、わたしがさっきのスピーチをしたから？　どうも雲行きが怪しい。あれからコン・リーが登壇しなくなったのはわたしのせい？　どれもこれも、そのときただちに明確な立場が決まっていたわけではない——でもその後のニュースは立ち位置がはっきり決まっていて、一つ一つの出来事が連なって起こっていった。集合写真を撮らないことになったのはわたしのせい？　このような前触れが立て続けに出てきたことで、わたしはやっと「自分は間違ったことをしてしまったのではないか」という疑いを持ったのだった。フェイスブックを見ていなかったわたしは、各メディアがこぞって報道していることも、自分が他の映画を紹介するために書いたフェイスブックの投稿の下に、中国のネットユーザーが二万件以上の罵倒コメントを書き込んでいることも知らなかった。為廷と電話したとき、はじめて気づいた。こんなに大事になっているなんて、まずい。博芸は一巻の終わりだわ。

これまでずっと、博芸を撮影するときには細心の注意を払ってきた。このシーンを映画に入れても大丈夫だろうか、影響が出たりしないかしら、と。最初の想定の中で、慎重に検討して、適切に世論をコントロールしたなら、安全上のリスクが生じるまでには至らないだろうと考えていた。自分の壇上での発言が、博芸に最もひどい影響を与える可能性があるなんて、思ってもみな

8　**鄭麗君**　一九六九年生まれ。台湾の政治家。民主進歩党所属。二〇一六年から二〇二〇年までの四年間、日本の文科相に相当する文化部部長を務めた。

9　**涂們**　一九六〇年生まれ。中国内モンゴル自治区出身の俳優。

かったのだ。映画が完成した後、わたしたちは次の約束をした。この映画を上映し、みんなに見てもらうことと、博芸の安全を守ることを両立するために、今後連絡をとらないこと。何らかの勢力が隙をついてこの映画の公開に干渉してくることを避けるため、この映画はわたし個人の解釈であり、博芸とは無関係であるというスタンスをとること。わたしの心の中で、この映画のラストが「わたしたち三人は、みな自分の道に向けて歩みはじめた。一人ひとりはみな独立した個体なのだ」という方向に向かったのは、このことがあったからだ。自分が責任を持てるのは自分の行動に対してだけだ、というのがわたしたち二人の共通認識だった。だけど金馬奨受賞式での発言後、そんなふうに無邪気にはしていられないほど、事態は深刻化し影響は拡大した。裏で起こったちょっとしたトラブルは山ほどあったけれど、公開することはできない。

あなたのこれって、「台独」ですよね！

主催者には心から謝罪したい。あんなに準備してくれたのに、最後のアフターパーティに中国の映画関係者は誰も参加することができず、会場は活気がなく、集合写真の撮影もキャンセルになった。

金馬奨の対応窓口はとても良くしてくれた。どうしましょう、こうなったのはわたしのせいではないでしょうか、と問うと、大丈夫です、心配しないで、と返してくれた。けれどわたしは後ろめたい気持ちでいっぱいだった。謝りに行くべきではないかと思ったけれど、会社の同僚と話し合った後、考えが変わった。今行ったところで何を伝えられるだろう？　内々に話に行ったとしても、憐れみを乞うているようなものだ。みんな忙しいし、疲れている。この不測の事態の対応に悩まされている。もしわたしたちが謝りに行ったら、わたしたちの気持ちにまで気を回さなければならなくなる。立場上きっと、「大丈夫、監督のせいではないですよ」と言ってくれるだろう。たとえ内心では面倒に思っていたとしても、わたしたちを慰めようとするだろう。それではかえって悩みの種を増やすことになってしまう。だからわたしたちは最終的に行かないことに決めた。

よく考えると、これは政治的な敏感度の問題であるように思う。なぜあのスピーチの重大性を事前に意識しなかったのか、自分で理由を分析してみた。わたしはずっと台湾・香港・中国の公民社会に注目してきたから、接してきたのは決まって社会運動を支持する人たち、公民社会と公民意識を支持する人たちで、たとえ立場が違っても、互いに通じ合うことができた。中国の民間の一般人や、芸能界、政治界、商業界の人たちとはあまり接する機会がなかったから、あのスピーチがそんなに重大な影響を与えるものだという意識はなかった。

あの事件をゲストへのもてなしにたとえた人がいる。わたしは無知な子供、金馬奨の主催者は客人を招いたホスト、金馬奨参加のために台湾へやって来た中国の映画関係者たちはゲスト——君はお客さんが肉を食べられないことを知りながら、あえて肉は美味しいですよって言ったんだ、と。

だけどわたしからすれば、どうしてもホストとゲストの方向性で話をするなら、宴会のホストは確かに金馬奨だけれど、会場の台湾人と中国人は誰もがゲストだ。ゲストたちがどんな話をしようと、ホストが干渉することはできない。何よりわたしというゲストがした話は、肉の美味しさを強調しようとするものではない。わたしは他のゲストたち、もう一方の政権に、自分たちは尊重されていないという、わたしが長い間抱えてきた気持ちを理解してほしかった。わたしの脳内で、それは明らかに異なる二種類の映像だった。あの話をしたとき、わたしは間違いなく自分のことを「肉が食べられる人」とは見なしていなかったし、自分が他のゲストたちよりも大きな自由を享受していて、だからあの話をすることを選べたのだ、というふうにも考えていなかった。

もう一つ考慮していなかったことがある。選挙が間近に迫っていたということだ。わたしはもともと、この作品はドキュメンタリー映画だから見た人も多くないし、中国政府の不興を買うようなことを言ったとしても、その影響は限られているだろう、と考えていた。前年に最優秀ドキュメンタリー映画賞を獲得した中国の監督・馬莉(マー・リー)[10]は、壇上で受賞スピーチをするとき、口を開くなり低級人口[11]について述べた。中国にとってはタブーな話題だったから、中国側によって中継が切断された。わたしは当初、たとえ大事になったとしてもせいぜいこの程度だろうと思っていた。映画祭参加のために台湾へやって来た中国の映画関係者たちが、わたしと主催サイドに圧力を加えるような雰囲気を作り出すなんて思いもしなかった。映画祭参加のために台湾へやって来た彼らは、自ら「両岸は一つの家族」と信じているために、中国の主権の伸長を望んでいる人たちにせよ、人から見られているために、やむなくそのように振舞っている人たちにせよ、必ず背後には強力な中国政府の干渉があって、そのように反応し、そのように行動し、そのように思考するよう仕向けられているのだ。

自分でも気づいたのだけれど、わたしは政治的な敏感度に難ありで、中国政府による言論統制のレベルと最低ラインがよく掴めない。あるとき、陳為廷や他の友人たちと話す中で、中国の映画祭にちょうど出品中のもう一本の新作映画の話題になった。中国の動画メディア「一条」[†]が可尚監督を取材して作った動画は、突然人気に火がつき、クリック再生率が百万を超えたという。みんなそれを見たらしく、為廷は冗談めかして、『私たちの青春、台湾』の今後のセールスポイントは、「「一条」には出せないもの」推しでいけるかな、と言った。「一条」が取り上げるはずがない、というのが為廷の考えだった。わたしはこう返した。そうとも限らないわ。「一条」の動画を研究してみたことがあるけど、以前取り上げられていた中国人監督・王男栿(ワン・ナンフー)[12]のドキュメンタリー映画、あれだって上映禁止になった作品だもの、と。なんと「一条」は本当に訪ねてきた。評価基準も勇敢だったように思う。けれど異口同音に上がったのはこんな声だった。

「[他の作品の問題性と]一緒じゃないですよ、あなたのこれって、「台独」ですよね!」

映画が完成する前の出来事だ。当時わたしはほとんど意に介していなかった。中国で「反抗意

【原注】† 一条 中国のメディア・EC企業によって制作された、生活美学の向上を提唱する動画メディア。

10 馬莉 一九七五年生まれ。中国浙江省出身のドキュメンタリー映画監督。

11 低級人口 出稼ぎ労働者などの低所得者を指す言葉。差別的表現として問題視されてもいる。

12 王男栿 一九八五年生まれ。中国江西省出身のドキュメンタリー映画監督。

識」と「台独」に対する敏感レベルが違うなんてことは意識していなかったから。実のところ国家や民族の問題には多くの感情が複雑に入り混じっていて、政府に反抗するしないというだけの問題ではないのだ。陳為廷と他の友人たちはすぐにその点に考えが及んだけれど、わたしは駄目だった。あの事件の重大性になかなか気づけなかったのは、こういうところにも起因しているかもしれない。

金馬奨後、台湾は選挙前の白熱した時期に入った。この選挙で、中国政府は多くの資源を投入して両岸統一のイデオロギーを宣伝した。わたしがスピーチしたのは選挙の一週間前のことで、しかも相当大きな注目を集めたから、選挙宣伝のリズムをいくらか乱すことになった。後になって多くのメディアが、あれは民進党の汚い選挙戦略だ、と評した。緊迫した状況だったから、大至急わたしの話を対抗陣営と結びつける必要があったのだろう。中国勢力の影響を受けているメディアは、どこもわたしの話を鄭麗君、蔡英文（ツァイ・インウェン）の発言と同じ紙面に載せ、わたしの間違った発言が金馬奨に影を落としたと批判した。授賞式を見ていないにもかかわらず、わたしが間違ったことを言って、金馬奨に傷をつけたと考える人はたくさんいた。

祖父でさえ、「何か間違ったことを言ってしまったのかい？」と電話で訊ねてきた。

「わたしは間違ったことを言ったとは思ってない。「あっち」がそう思っているだけ」と答えた。

「わかったわかった。とにかくおめでとう」とおじいちゃんは言った。

家族はやはりわたしの受賞を喜んでくれた。あの母でさえそうだ。

母の反応は面白かった。一緒に授賞式に参加しないかと誘ったのだけれど、母は行くのを面倒がった。結果的にわたしが賞をとると、母は大喜びして、家の中で大声を上げ、すぐに「我が家の才女・傅楡（フー・ユー）が受賞」という文章までフェイスブックに投稿した。彼女はフェイスブック上に五千人の友達がいて、よく過激な言論を発表し、民進党を批判していた。フォロワーはわたしよりもずっと多かった。だけどあの投稿をした後、即座に疑問のコメントが現れはじめた。傅楡はどうしてあんなことを言ったのか、と。続々とわたしのことを罵りだした。母は驚いて、すぐにその投稿を削除した。それから、わたしのフェイスブック上の、あの事件と関りがあるスレッドには、父と母を罵るコメントまで現れた。ひどいものになると、『鏡よ、鏡』のキャプチャー画像を載せて、傅楡の両親はインドネシア人とマレーシア人、傅楡は東南アジアの雑種だ、云々という書き込みもあった。本当に怖かった。

　両親への影響を心配したわたしは、家族内のグループトークで、「何かあったりしてない？」と訊ねた。母は何事もなかったかのように、「別にないわよ、どうかしたの？」と言った。わたしの受賞スピーチについては、特に何も言わなかった。もともとわたしのことを、母に楯突くのが好きな、こういう人間だと認識していたからかもしれない。正月を迎える段になって、少し心配になってきた。自分の実家も夫の実家も、政治的な立場は青寄りだからだ。年越しの際に質問されるのではないかと心配していたけれど、そんなことはなかった。一部の親戚たちはわたしの行為を認めていないようだった。ただそれをわたしの前で口に出すことはなかった。矛盾しているのは、そういうひそひそ話を聞く方が、辛い気持ちになるということだ。

　母方の祖父母の家に行ったときは、ずいぶん状況が良かった。高齢の祖父と祖母は、食事の場であまり口を開かない。一方おば夫婦とおじ夫婦は、金馬奨で起きた出来事についてひっきりなしにたずねてきた。テレビを見ながら大喜びして、わたしの立場上何か問題があるとは思わなかったらしい。おじさんと奥さんはもともとあまり青寄りではなかった。おばさんの政治的傾向はもともとわたしの両親に近い青寄りだったけれど、後で母から聞いた話によると、旦那さんの実家が緑寄りだったため、間接的に影響を受けたのか、すでに変わっているということだった。とにかく、母方の祖父母の家で非友好的な雰囲気を感じることはなかった。

母があの事件のことをどう考えているかについて、みんなは興味があるようだった。なにしろ母は心の中に最も矛盾を抱えている人だと言っていい。娘の受賞は嬉しく光栄なことだけれど、娘を罵る人々の政治的傾向は自分自身と同じ。母は巻き添えを食らい、様々な侮辱を受けた。それはとても辛かったと思う。

母が一体どんなふうに思っていたのか、わたしは今もちゃんと聞けずにいる。

後になって、『ビオスマンスリー［BIOS monthly］』[13]がわたしのインタビュー記事を出したとき、母はただ一点だけを気にしていた――インタビューには、わたしの父はマレーシア華僑、わたしの母は九歳のときインドネシアから来た、と書かれていた。わたしが「華僑」と言うのを忘れてしまったのかもしれない。母は華僑ではなくインドネシア人として他人から見られることをとても気にしていた。「これじゃわたしがインドネシアの女だと思われちゃうじゃない」と母は言った。母の価値観は依然としてこうだ。インドネシアから来た、マレーシアから来たと言われるのはいいけれど、心の中で、自分たちはあくまでも華僑、他より一段と優れた存在だと考えている。

こういう考え方はとても根深く、変える術がない。わたしにできるのは、どうか直してほしいと伝えることだけだ。

わたしの政治対話実験は、親世代の青と緑、若者世代の青と緑から、台湾・香港・中国の公民社会までを追求しつづけた。最後には中国の政権ならびに心の中の対象と自ら話すことを望んだけれど、強大な反撃を受けることになった。あの事件から考えるに、わたしが期待した対話はどうやら失敗したようだ。もしやり直せるなら、わたしはまず人と話し合うだろう。一体どのように話したら、わたしたちが尊重を求めているということを人々にわかってもらえるのか、単に立場を表明したり互いにレッテルを貼り合ったりする事態から脱却できるのかということを。言葉というものはとても奥深い。もっと良い話し方がきっとあるはずだ。わたしの考えを損なうことなく、それほど大きな反作用を起こすこともなく、より多くの人々に耳を貸してもらえるような話し方が。——たとえすぐには賛同を得られなくても、心の中に種を残すことはできる。それはいつの日か、彼らがより一歩台湾を理解したいと願い、台湾が必要とする主体性を認識する契機となることだろう。

だけど対話は本当に完全な失敗だったのだろうか？　わたしはそこまで悲観していない。あの事件が与えた影響は本当に大きかったけれど、ある学生がこんな話を聞かせてくれたのだ——それは事件後最も感動した出来事だった。その子は中国で勉強している台湾の学生で、当時中国の

13　『BIOS monthly』　台湾の文化芸術誌。

友人たちと金馬奨の中継を見ていて、あのスピーチを目にした。ふだんからそういう話題について話すことはなかったけれど、その子はずっと自分の気持ちを伝えたいと思っていた。ただその機会がなかった。あのスピーチを見たことで、彼らは話し合いを始めた。対話の過程はきわめて理性的であり、真にお互いの気持ちを理解し合ったという。わたしはこの話を聞いて猛烈に感動した。やっぱりこんなふうに対話をスタートさせる人がいるんだわ。世界はこれだけ広いんだもの、こういう経験をしているのはその子だけじゃなくて、どこか別の片隅でも同じような対話が起こっているかもしれない。そう信じている。このおかげでわたしは希望を捨てずに済んだのだ。

金馬奨事件の影響

金馬奨の後も様々な出来事が起こりつづけて、中国ファクターがどれほど台湾人の立場に強く直接的に影響しているのかということを、わたしは身をもって体験した。正攻法ではない様々なやり方で、自分や自分の周りの人たちに圧力が加えられていくのを、わたしは本当に実感した。中国政府の抑圧には強い怒りと不満を覚えたけれど、その気持ちを言葉で説明するのは難しい。後に、中国人監督・応亮（イン・リアン）[14]の作品『自由行［A Family Tour］』[15]を見たわたしは、映画の主人公の憤慨にたちまち共感した。自分とは別の監督が映画の中で表現したことを通して、そういう気持ちが自分自身に生じたわけを理解することができた。誠実な創作が世の中にもたらす貢献というのは、まさにこのようなものだろう。創作者が自分自身を誠実に表現することによって、似たような経験を持つ人たちは共感を覚え、自分たちがどういう経験をしているのかということを理解するのだ。

中国人監督の応亮は、センシティブなテーマに関わる作品を撮ったことで、故郷に戻ることを禁じられた。香港に留まる以外道がなく、流浪の監督となったのだった。応亮は実体験をもとに自伝を書き、映画『自由行』を制作した。映画の中で、彼は自分自身を一人の女性キャラクターに変えている。同じく故郷に戻ることのできない映画監督という設定だ。その他、女性監督の夫と母が登場する。

作品中、女性監督は故郷に戻ることができないため、母娘が中国国内で会う術はなく、母はツアー旅行に参加する名目で台湾を訪れ、娘と再会する。映画の中で監督は常にイライラした状態だが、自分が何に腹を立てているのかわからない。巻き添えを恐れるツアーガイドは、監督たちを警戒し、あれこれと予防線を張ってくる。それにもかかわらず、ツアーガイドに気を使い、こびへつらって礼を言う監督の母と夫。監督はひどく憤慨し、たくさんのモノローグが入る。わたしはこの映画を見たとき、監督が何に腹を立てているかについて、非常によく理解できた。自分が何か間違ったことをしてしまったからこそ、自分の家族があんなふうにペコペコしなければならなくなったのだ、という感覚。あの憤慨は、自分への憤りでもあり、どうして家族があんなふ

14 **応亮** 一九七七年生まれ。中国上海出身のドキュメンタリー映画監督。

15 **『自由行』** 「自由行」の意味は、中国国内居住者が個人単位で参加するツアー旅行のことで、移動や宿泊は団体だが、現地でのある程度の自由行動が認められているもののこと。

うに強大な権力に屈する必要があるのか、ということへの憤りでもある。強大な権力のパワーが、自分の家族を通して一気にのしかかってくるのを感じたからこそ、監督は憤ったのだ。――中国の強権政治が決して抽象的なテーマではないことを、流浪が必要なほどではないにせよ、わたし自身も実感している。それが個人に加える圧力はきわめて具体的だ。

多くの人たちは、中国ファクターが本当にわたしたちに影響をもたらすとは考えていないようだけれど、わたしはありありと実感している。だけどわたしの感覚をみんなに理解してもらうことは難しい。まさにあの映画に出てくる女性監督のように。身の周りの近しい人たちでさえ、その憤りとやるせなさを理解することはできなかった。他の人の目からは、金馬奨の後、わたしは何の影響も受けず、むしろ多くの人たちから支持を得たように見えているかもしれない。

確かに多くの支持を得られたからこそ、わたしは自分が完全に間違っているわけではないのだということを確認できた。もっとひどい抑圧を受けている他の人たちと比べたら、わたしが負ったダメージはそれほど深刻なものではない。ネット上で叩かれていることをみんなが教えてくれたけれど、ネット上の非難や誤解は気にしていないし、そのせいで挫折して立ち上がれなくなるなんてことはない。聞くに堪えない言葉や、写真を使ったコラージュ画像でわたしを罵る人がいたとしても、気にしたりしない。その人たちの言葉や行為の背後に、もっと大きな勢力がはたらいていることを理解しているからだ。

激しい言葉で、なぜあんなことをして台湾を傷つけたのか、アン・リー監督に謝罪すべきだ、と言う人たちもいるけれど、傷ついたりしない。その人たちとその人たちの言葉が、背後にある複雑なイデオロギーを体現していることを知っているからだ。三・一八ひまわり運動を嫌い、「台独」を嫌い、口汚く罵るというやり方でわたしを否定しようとするのは、先に自分たちが否定されたと思っているからなのだ。——「台独」の主張は基本的にその人たちの価値観を否定するものだったし、三・一八ひまわり運動で国民党政府に反抗したことも、その人たちの価値観を否定するものだった。攻撃的な姿勢でわたしの言論を受けとめるのは、そのためだ。それぞれのイデオロギーの背後には、一連の人生の物語があることを理解しているから、決して腹を立てたりはしない。唯一胸に刺さったのは、わたしがひどく自分勝手な人間で、気遣いが足りず、その現場にいる人たちの立場と考え方に注意を払っていなかったという意見だ。その点については、本当に反省が必要だし、心から反省している。

第八章　対話はつづく

「青・緑」問題を振り返る

長年の観察を通してわたしが思うのは、大雑把に区分すると、台湾では国民党を支持する人は、より保守的で、かついつも経済が良くなることを期待しているということだ。一方で、同様に二大政党制をとる米国では、国民党は共和党に似ていて、民進党は民主党に似ているが、米国では両政党ともに基本的に右寄りだ。多くの国民党支持者が保守寄りだといえども、それが民進党支持者の民主的な素養が比較的高いということを表しているのではない。そうでなければ、ＬＧＢＴや経済発展論について、民進党内で多くの人が国民党と似通った意見を出すことはないだろう。話を初めに戻すと、台湾で政治的な立場を分けている最も大事なことは、やはり統一・独立の違いからくるものだろう。

とはいっても、国民党の大部分の支持者を厳密に統一派と定義できるわけではない。とりわけ若者は往々にして統一・独立が本当のところ何を言い争っているのか理解できていない。大部分の国民党を支持している若者は、いわゆる「華独」[1]に賛成しているのであり、ただ自分でも分かっていないだけだ。彼らは中華民国が辱められるのを好まないだけで、台独が即ち中華民国を消滅させようとしていると思い――多くの民進党支持者がこのような主張を抱いていることも確かだが――民進党を嫌っているのだ。

けれどその実、民進党内部で最大公約数を求めても、基本教義の独立派の人がいる一方で、華独の支持者と協力する傾向がある人もいる。そうでなければ民進党の党綱領が、台湾は一個の主権独立国家であり、その名前は中華民国と言い、その前途は二千三百万人によって決定される、と主張するはずがない。これらの主張の背後にある意味は、たとえ望まなくても、現段階では中華民国という名を認めなければならないということだ。未だ大規模な全体的な討論を行う機会がない中で、わたしはこの主張がどうやら現段階の普遍的な台湾人の共通認識なのだと思う。わたしたちは未来において当然、それをどのような名前で呼ぶべきか再び討論する必要があるが、今のところ中華民国と呼ばれていることは確かだ。

人が変われば、その心の中の「台独」の理解も別なものになるだろう。中国にとって、台独とは当然中国からの分離離脱のことだが、独立派にとって、実のところ台独の主な対抗相手は国民党の中華民国だ。わたしは、中国政府と国民党がこの概念の曖昧性を利用し、台湾人の台独に対する誤解を生み出していると思う。

もしずっと台湾で生活している人なら、「中華民国」を信仰している人は、「中華民国」が現段階の民進党によって消滅させられると信じてしまうだろう。そしてそれは当然彼らの危機感を引き起こし、台湾の中で緻密な討論や対話をして、共通の最大公約数を求めることができない状態を引き起こしてしまう。わたしが見るに、それはかえって台湾の主権を虎視眈々と狙う中国政府にあらゆる可能性を利用する機会を与え、確かめることができない手段を用いさせ、わたしたちの国家を内部から分裂させてしまう。事実、今の台湾は既にこれと似たような非常に危険な状態になってしまっている。

『私たちの青春、台湾』を作り終え、次にわたしはさらに多くの意見の違う人たち、たとえば若い世代の国民党支持者などと、話したいと考えている。わたしたちの互いの価値観は大きく違っているけれど、わたしはそれでも彼らが現在の台湾の情勢をどのように見ているかとても知りたい。わたしは、もしずっと国民党を支持している人を台湾の外に排除してしまい、憎しみによって彼らに接してしまったら、彼らをさらに中国に向かわせてしまい、それは台湾にとってより危険なことだと考えている。だから、わたしはずっと青・緑双方の人が、理性的な対話を通して、どの政党を支持するかにかかわらず、台湾人としての自己認識は一体どういったものなのか、共通の理解を持つようになってほしいと思っている。

わたしが観察したところ、今の台湾人は、まるで三・一八ひまわり運動が爆発する前の状態、すなわち「変化を期待しながらも、自分が何をするにも無力だと考える」ような状態に戻ってしまったようだ。「何も変えることはできない」と考えてしまう人たちがいたり、影響力のあるリーダーに簡単に惹きつけられてしまったりする人たちがいる。しかし、彼らが「変えること」

1　**華独**　台湾が中華民国という国号を堅持し、現状の大陸から独立した状態を維持することを望む意見。

を希望するその動機は、伝統的な「国民党・民進党」政治に紋切り型のイメージを持ち、「国民党・民進党」がずっと泥仕合を続けており、共にでたらめだと感じていることにある。自分は違う、青も緑もいらない、わたしたちは中庸で民生第一だ、と躍り出て言う人がいたなら、これらの反射的に「政治が汚れている」と考えている人にとっては、とても魅力的だろう。けれどもわたしは、これは安っぽい見解だと思う。彼らは「青・緑」政治の背後にある原因に目を向けておらず、これは以前のわたしとまったく同じだ。

「民生第一」、この意見をわたしは受け入れがたい。なぜなら、台湾は今まで一個の正常な国家であったことがなく、その民主体制の健全度は常に中国からの影響を受けていて、また常に独立・自主の生活を失ってしまう危機にさらされているからだ。もし、ただ民生だけを重視してしまったら、たくさんの実際に存在する危機を見落とすことになってしまいかねない。「青か緑か」の正真正銘の問題は、大多数の人が、きちんと振り返って問題の根源を整理せず、薄っぺらな議論に陥ってしまうことにある。このような結果は、相対的に言って、本来なら台湾の過去の政治的圧迫の歴史に大きな代価を支払うべき国民党に利してしまう。ここ数年の正義の認識の変化を通して、わたしは国民党が台湾で現在の地位を保つべきではないという考え方に賛同するようになった。もし国民党が、ずっと過去の事情をはっきりと説明することなく、かつ台湾でその利益を追求しつづけられるなら、それは即ち『青と緑の対話実験室』内で中国人学生の宇晨（ユー・チェン）が言ったように、国民党はずっと民進党を抑圧することができ、民進党はずっと悪魔扱いされ、いつまでも統一・独立を言い争う薄っぺらな議論ばかりの「国民党・民進党」政治が続いていってしまう。

三・一八ひまわり運動ののち、いく人かの人々は、国民党はもうダメだと思い、第三勢力の新しい政党がたくましく成長し、民進党との二大政党による良質な競争に変化することを望んだ。わたしはこの理念の重要性を否定しないが、現段階では台湾の現実的な境遇からやや逸脱しているように思える。わたしたちは歴史を整理せずに、新たな民主の価値観を作り上げた。だから、たとえ政党を替えることができたとしても、国民党はやはり短期間のうちに彼らと価値観が似た支持者を呼び戻すことができるだろう。もし、わたしのような転向する者が増えていかなければ、国民党はわたしが以前に信じていたあのやり方で、彼らを信じさせつづけることができるのだ。それでは台湾の前途が両岸［中国と台湾］統一により近づいてしまう。だからわたしは対話をしたいと思っているのだ。わたし自身に転向する可能性があったからには、わたしより若い人には、もっと多くのチャンスがある。彼らは、ただ時間が必要で、考え方を変えるきっかけが必要なのだ。わたし自身ですら、十年経たずに、考え方が完全に変わったのだから。

歴史の整理を経て生まれた価値観の変化は、より安定していて、簡単には元の無知な状態には戻らないだろう。それでも、変化・対話に対して希望を失ってしまうかもしれない。それはわたしが『私たちの青春、台湾』撮影の後半で、かつて一度、変えることは難しく、おおよそ不可能なことだと感じ、変化を押し進めようという意欲を失ってしまったことに似ている。二〇一六年の政権交代の後、この種の失望感は台湾社会でありふれたものとなり、徐々に酷くなっていった。わたしたちの推進力は徐々に弱くなり、相手の力は徐々に強くなり、その後、現在のような、自分を疑い、進展しない情勢が普遍化してしまった。わたしは、最も困難な障害は、結局のところ外から来るのではなく、苦境に立たされたときに、簡単に自分を放棄してしまうことから来る、と気がついた。

『私たちの青春、台湾』を上映しているとき、わたしはエネルギーに満ち溢れ、時には他人を励ます役割を演じるようにもなれた。これはこの映画の完成から程なく、わたしが本来の軟弱な自分からいくらか成長し、積極性をとり戻すことができたからだ。わたしは、「変化させることが難しいのは知っているが、それでも希望を失うほどではない」という姿勢で、これからのいろいろな挑戦に向かっていきたいと望みはじめている。

台湾・香港・中国の市民社会の新たなふりかえり

中国ファクターは、一貫して中国・香港・台湾の市民社会が共に挑戦する相手だ。みなが異なる歴史のイメージをもっているかもしれないが、対話と共通の目標を通して団結することができる。

二〇一三年八月、わたしは蔡博芸（ツァイ・ボーイー）と香港に行き、両岸三地［台湾・香港・中国］をつなぐキャンプ「啓鳴（チーミン）」に参加した。この団体はとても熱心で、主導者は台湾人・香港人・中国人の一団で、彼らはみな共通の理念を持ち、互いに友好的で、多くの人がいっしょに対話する機会を設けようとしていた。これは、わたしがやりたいことに似ており、わたしは彼らがどのように活動を企画するのか知りたかったので、蔡博芸と共に参加したのだ。その中の一つの活動に「歴史年表」と名付けられたものがあった——中国は常に台湾・香港を彼らの領土とみなしているが、わたしたちは共通の感覚を持ち得ない。これは皆の経てきた歴史年表が異なるからだ。両岸三地の社会が同時期に関心を持っていることは実のところ異なっており、もしそれぞれの歴史年表に対しての認識が不足していたら、対話はとても難しい。そこで「啓鳴」キャンプは、この活動を通してそれをはっきりさせようとしたのだ。一九八九年に中国で何が起こり、そのとき台湾はどのような状況だったのか？　一九九〇年に台湾で野ユリ学生運動が起こったとき、中国はいったいどのような状況だったのか？　いわゆる中華民国「建国百年」をもとに計算した民国元年、当時日本の植民地だった台湾はいったいどのような状況だったのか？　このように列記することにより、中国の友人はようやく明確に双方の歴史観が異なることを知ることができる。また、啓鳴の活動組織者が素晴らしかったのは、視覚化することによって、これらの複雑な問題を明らかにしたことだ。

ほかにも「政治シミュレーション」ゲームというさらに優れた活動もあった。これは、台湾・香港・中国の参加者約四、五十名が、出身が同じ人がばらけて四組に分かれ、それぞれの組が国民党・民進党・共産党・香港の民建連[2]を演じるといったものだった。国民・民進両党は台湾の組ごとに目標が定められた。国民・民進両党は台湾での選挙に勝利すること、共産党は台湾の

2　**民建連**　民主建港協進連盟。香港の親中政党で、構成員数では香港最大の政党。民主派に対抗している。

軍備購入案を阻止するのに成功すること、民建連の目標は安全に次の局面に移行することだったようだ――わたしは民建連の目標を若干忘れてしまった。彼らはこのゲームの中で脇役の存在で、それを演じた人々でさえこの党についてあまり知らなかったし、どのようにそれを演じなければならないかわかっていなかった。彼らはゲームが始まるとまず多くの時間を資料を調べることに費やし、自らの役割のアイデンティティを作り上げ、その後一斉に「香港のために誠実であれ」というスローガンを叫んだ。みなが本当にゲームに入れ込み、勝つために自分の役になりきった。面白かったのは、みなが明らかに共産党に同意していなかったのに、共産党を演じるときには真に迫っていたことだ。

あの時分、「啓鳴」以外にも、似たような活動や組織があり、わたしはこれが一種の風潮だと感じることができた。両岸三地の人が、様々な活動を通して自主的に相互認識を深めようとしていたのだ。当時、香港は両岸三地の社会の中で中継点のような役割を持っていた。中国人が台湾に行くのは面倒で、台湾人もどうしても中国を排斥しようとしていた。そのため、この種の活動は香港で開催するのが最もふさわしかった。

雨傘運動のとき、一部の香港人は三・一八ひまわり運動の影響を受けていることを自覚していた。まるで台湾・香港・中国の市民社会が本当に互いに繋がり、互いに励ますことができるようだった。わたしが以前香港に行った際に知り合った学聯会長の陳樹暉（チェン・シューフイ）[3]は、二〇一四年の雨傘運動の後にも台湾に来て交流があった。彼は「台湾で三・一八ひまわり運動が起こったことで、更なる強硬手段によって権利を勝ち取らなければ、という励ましを受けた」と語った。

今振り返ってみると、二〇一三年にあんなに多くの両岸三地の交流活動を行うことができたのは、言論がわりと開放されていたからだ。三・一八ひまわり運動ののち、陳為廷（チェン・ウェイティン）はもう香港に入れなくなった。雨傘運動ののち、黄之鋒（ジョシュア・ウォン）は刑罰を下されて、しばらくは再び台湾に来ることができなくなった。続いて、二〇一七年三月にはさらに李明哲（リー・ミンジョー）[4]が中国で逮捕監禁される事件が起き、両岸三地の間の交流できる空間は、どんどん狭くなってしまっているようだ。

これは、中国政府が確かに脅威を感じていることを表している。彼らは、野火がまたたくまに燃え広がり、個々の運動エネルギーが集まることを軽視してはならず、一つの不注意が簡単に収拾できない事態に広がってしまうことに気がついた。そのため彼らは交流の可能性を断ち切りはじめたのだ。その後、香港の「送中条例」[5]も、台湾・香港・中国の間の政治エネルギーが交流する機会を強力に断ち切ろうとしてきて、台湾・香港・中国の市民社会の未来は障害にぶつかってしまった。

しばらく前、わたしは呉介民（ウー・ジェミン）先生を、作品を見るためと称して招き、彼とこの方面の問題に

---

3 **陳樹暉** 一九九〇年生まれ。香港の政治家。嶺南大学学生会の会長・学聯の会長などを歴任し、二〇二〇年から元朗区議会の議員。

4 **李明哲** 一九七五年生まれ。外省人二世の台湾人。NGO団体のボランティア。中国大陸の人権問題や民主化運動に関わる。二〇一七年、旅行先の中国大陸で失踪し、その後国家政権転覆煽動罪の容疑により中国当局に逮捕されていたことが判明。裁判で有罪とされ、二〇二〇年八月現在も服役中。

5 **送中条例** 二〇一九逃亡犯条例改正案。香港が、中国本土・マカオ・台湾などに、刑事事件の容疑者を引き渡すことができるようにするもの。中国政府に批判的な人物が容疑を作り上げられ、中国本土に引き渡されることが懸念され、反対運動が起きて香港民主化デモに発展した。

ついて雑談をする機会を得た。呉先生の提起した『第三の中国イメージ』は、わたしと陳為廷に深い影響を与え、それはほぼ『私たちの青春、台湾』の背後を貫く思考の筋道となっていた。呉先生は「以前、台北映画祭でこの映画を見終えたときに、いくつかの感想を持ったが、そのときには新しい著書『尋租中國［Rent-seeking Developmental state in China］』[6]の執筆に忙しく、じっくりと話す機会がなかった。今回、ようやく君と討論をする時間の余裕をもつことができた」と言った。彼は、『第三の中国イメージ』を書いていた当時は、確かにまだわりと公然と交流できる可能性があったが、今は中国の言論の基準が締め付けられ、この種の可能性がもうほぼなくなってしまったので、新しい現状に合った論法を考える必要があると言った。わたしが錯覚していただけなのではなく、呉介民先生のような中国の研究を専門にしている学者の見解もこのようなのだ。わたしはこの映画を最後に編集しているとき、先ほど述べたような原因で、モノローグの語り口が、内面を深く探って当時の気持ちを表現する路線に走ってしまった。そのため、ある面でナイーブで悲観的なところが際立ってしまい、特に陳為廷が香港から強制送還されたことで一切の交流の努力が全て無意味に思えたと語るところでは、後で映像を見たときに陳為廷本人でさえも少し焦り、わたしがこのように言うのは大げさすぎると感じたようだった。

映画にも登場し、議場内の会議の責任者だった社会運動の仲間がいたが、わたしは彼も上映に招待した。映画を観たあと、彼は「青春、青春之後」という文章を書き、『思想坦克［Voicettank］』というサイトで発表した。文章の中の一つの大事な論点は、まさにわたしが悲観しすぎているというものであった。彼は、両岸の市民社会の交流は、少数の数名が入国できなくなるだけで終わるものではなく、台湾・香港・中国の間の多くの組織が水面下で様々なレベルで往来を続けていると述べた。また、彼が主に注目している環境問題について、交流が続いている事例を挙げることができると論じた。でも、これは環境運動が完全に中共政権を相手としたものではないからで、そのためわずかに融通がきくだけのことだろう。わたしたちが思い描く海峡を跨ぐ市民社会の集まりは、政治的な指向性がわりと強く、中国の政権に対して真っ向から異議をとなえるもので、これができるならわたしも決して悲観しないだろう。でも、実情は先ほど述べた通りだ。わたしたちは別の論法を考え、台湾がどのように中国政府に向き合っていくのか模索しなくてはならない。

わたしは今も注意深く見つめている。台湾と中国・香港の間の情勢がいまだ混乱を続けている中で、台湾の未来はいったいどのように歩んで行くべきなのか。わりと薄っぺらな一つの考えに、自分で方法を考えるべきで、他の地域の人に期待を向けるべきではないというものがある。台湾も自己の内部の問題に向き合うべきだというのは、二〇一二年の反メディア独占運動の時期に、既にとても多くの人が警告を発し、「中国ファクター」が台湾のマスコミに影響を与えないか心配していたのに、なぜ今また目に見えないところで生まれてしまったのだろうか。これは二〇一〇年当時に訴えられていた呼びかけが、決して皆の心の中に深く刻まれなかったことを表

6 **『尋租中國』** 原題は「中国におけるレントシーキングによる発展志向」の意。

している。事件が起きたり、リーダーが呼びかけたりすることで、やっと多くの人の危機感が呼び起こされるのだ。

反メディア独占運動から三・一八ひまわり運動に至るまで、これらの問題に意識を向けた人は、運動を推進する中で、かつては希望に満ちていたが、その後、種々の要因によって失望してしまった。ある人は、社会運動を続けることができそうもない中で、自分がそれでも何ができるのかわからないと感じてしまっていた。全てのかつて社会運動に加わった人は、みな人生の新たな選択に向き合うこととなったのだ。かつて熱心に入れ込んだものの、何も変化を生み出さなかったことは、運動を離れたときに、魂を抜かれたように塞ぎ込ませ、まるで徒労に終わったかのように思わせた。スパイ行為、フェイスブックのファンページ買収、フェイクニュース——フェイクニュースを流すまでもなく、悪意のある見出しをつけるだけで人をどうこうできたのだというように、もっと裏を見ようとする人もいて、事情はそんなに単純でないことがわかる。多くの人はこうしたことに焦りを感じ、またどうすべきかわからなかった。世界は、やはり変わらないのか？　最後には変化が起こりえると信じるべきなのか？

わたしはそれほど焦っていなかった。多くの問題がまだ解決できないことを知っていたし、ただひたすら焦ることも良いアイデアではなかった。わたしたちができることは、さらに多くの人にこの注目すべき問題を意識させることなのではないだろうか。これも実は『私たちの青春、台湾』というこのドキュメンタリー映画でしたかったことだった。一方では、わたし自身の告白と反省によって、かつて運動に参加し、その後気落ちしてしまった人々に、やる気を取り戻し歩みつづけてもらいたかった。また一方では、この映画を通して、これらの抵抗運動が社会や大衆に気づかせようとした問題について、運動に参加したことがない人にもっと理解してもらいたかった。だから、「今の社会情勢に対して、自分がどうすべき時期なのかわからない」という観客がいたら、わたしは「わたしもあなたがどうすべきかわからない」と言うだろう。わたしができるのは、わたしの反省を通し、わたしの映像記録を使って、問題をさらに多くの人に知ってもらうことなのだ。これは、なぜわたしが金馬奨の式典の壇上であのような話をしたのかの原因の一つでもある。これこそがわたし自身が一人の活動家としてできることなのだ。

あらゆる上映後の座談会において、わたしは毎回観衆に向かって、一人のドキュメンタリー制作者として、わたしはわたしの体験を共有することはできるが、あなたの期待を満足させることはできないと強調してきた。もしあなた方が希望をわたしに投げかけ、わたしから答えを得たいと思うなら、あなたがたは迷いの思考に陥ってしまう。これはまさに映画の中のわたしが犯してしまったのと同じ過ちではなかろうか?

もしわたしたちが前に向かって進みたいなら、まず自分が傷ついたことを意識することから始める必要がある。台湾では、わたしたちが経験してきた歴史と現在の政治状況によって、おそらく多くの人々が、成長の過程の中でみな傷ついてきたり、排除されたり、自分で限界を線引きしてしまったり、コミュニケーションをとろうとしたときに生まれつきの立場の壁にぶつかったり、話したことが曲解されてしまうと感じたり、最も身近な人とさえ理解し合えなかったりしただろう。わたしたちはおそらくみな、かつて孤独を感じ、自分が間違ったことをしたのではないかと疑い、言い間違え、道のりの中で情熱と仲間を失ったかもしれない。しかし、もしわたしたちが一緒に前に進みたいなら、自分が傷ついたことを意識することから始めるべきだ。結局、これはわたしたちの共通の物語なのだ。そして、共通の物語であっても、また一人ひとりが自らの「主体性」を持つ必要もある。

これは一つの「主体性」を追い求める旅だ。あるいは、青春の本当の意味はここにあるだろう。わたしたちはみな、青春や青春の傷を経験することで、やっとそれぞれの主体性と信念を持つ成熟した人間になるのだ。

あとがき

このあとがきを書いている今、プラスのエネルギーに満ち満ちていた状態はすでに失われてしまい、次の段階へと進んでいる。

わたしは、映画『私たちの青春、台湾』が出来上がったら、ようやく青春時代を卒業して、人生で最も重要な成長を遂げるのだと思っていた。でも、現実はそんなに簡単なものではなかった。

どこで目にしたのかは忘れたが、とても共感した概念がある。それによれば、人は一生のうちに三度成長するらしい。最初は、自分が世界の中心ではないと知ったとき。二度目は、どんなに努力しても、力およばないことがあると知ったとき。そして三度目は、たとえ力がおよばなくても、やり続けていきたいと願うときである。この映画を撮り終えた後、わたしはこの三度の成長をすでに経験したと思っていた。

けれど、金馬奨の騒動を経た後、わたしは、人の成長は一直線に進むものではなく、後戻りすることもあることにようやく気づいた。「青春」と「成熟」は、決して切り離せない。最も理想的なのは、成長してもなお、青春の心を持ち続けることだ。そして一番大切で一番なしがたい成長とは、本当の自分を知り、自分が何を望んでいるかを知ることなのだ。

あのときからすでに一年近く時が過ぎたが、壇上でのあの数分間のできごとは、わたしの脳裏で数えきれないほどフラッシュバックし、自問自答そして慰めをくり返し、さらに自問自答し、それは今でも終わることがない。何も間違ったことはしていないと、わたしに伝えようとしてくれる人も多くいるかもしれないし、頭では、わたしも自分がそう思えたらいいのにと思う。しかし、このできごとを経たからこそ、わたしは深く悟ることができた。真の「青春」と「成熟」の共存とは、自分が本当にやりたいことなら、馬鹿げていると思われるほどの衝動を必要とする行為であっても喜んで責任を負うことで、そうしてはじめて自分の信念を実践したと言えるのだ、と。でも、正直に言うと、受賞式の壇上では、さまざまな代償にまで思いがいたらなかった。わたしはあのとき、たしかに青春の情熱に溢れていたが、代償の大きさは、今でもわたしと周囲の人々に累積され続けている。

　青春は素晴らしい、なぜ素晴らしいかといえば、おそれることなく夢を見て、おそれることなくぶつかり、すべてが希望に満ち溢れているからだ。けれど、人は永遠に青春の素晴らしい一面だけに夢中になって、次の段階へと進まないわけにはいかない。それでは人は成長できず、進歩もない。これは人間だけの話ではなく、国家にもあてはまる。わたしたちの、この極度に若い民主国家であればなおさらだ。この国が前へ進むことができないでいるとするならば、その最大の原因は、自分がまだ青春時代で無鉄砲なことに気づかず、成熟していると過大評価し、すでにある民主に対し優越感を抱いているからかもしれない。

　この問題は、わたし自身をふくむ台湾人一人ひとりの身の上に起こっていることかもしれない。人は、自己暗示にかかりやすく、増長してしまいがちな動物だ。多くの人が心の中で言いたいけれど言うチャンスがなかったことを、わたしが言葉に出したことにより歓迎され期待されたときに、あのような状況下で理念のために声をあげることは自分の天命で、他の誰にもできないことだと思ってしまった。当時のわたしは傲慢で、同じ意見をもちながらも自由に発言することができない他の人たちと共感しにくかった。当時をふりかえると、自分でも嫌になる。現在こうして責任を負うなかで、わたしのことを理解できないひとたちは、何かを背負っているのだということがやっとわかった。けれども、大勢の人からの支持はやみつきになり、拒絶しにくく、どんなに反省しようとしても、誘惑のために自分を見失うことを免れ得ず、ますますうぬぼれていってしまった。それがある程度落ち着いてから、わたしは自分がねじくれてしまいそうなことに気づいた。それと同時に、こんな期待を受け続けたくはなく、それにともなう責任を引き受けたくなんかないと思った。わたしはむしろ、みんながわたしに失望して、わたしに責任はないと思ってほしかったのだ。

　このような話は、わたしの金馬奨でのスピーチに感動して、この本を読んでみたいと思ってくれた人々にとって、少しも魅力的に聞こえないかもしれない。

　けれどこの本は、誰かの歓心を買うために出版するわけではない。もしもこの本が誰かに意義をもたらすことができるなら、わたしは心からこう望む。わたしの自己嫌悪をさらけ出すことを通して、この本を読んだ人々が、最後の不愉快な読書体験によって、わたしに対して抱いていた期待を捨て、ひいてはその過程で、自分が期待していたのはいったい何だったのかということに、疑問をもってくれますように、と。

今現在、わたしたちから遠からぬ距離の香港では、すでに四カ月以上抗議活動が続いている。ここのところ、わたしはほとんど毎日やきもきする状態にあった。香港の人間ではないけれど、わたしの心の中で抵抗する気持ちは、屈せずに抗議を続ける香港の人々と通じ合っている。それに、わたしが撮影したドキュメンタリー映画を通して、多くの人たちがわたしのスタンスを知っている。こんなにもこの問題に関心があるというのに、自分自身が自己疑念の矛盾状態にあるという理由から、何も言わずにいるなんて、そんなことでいいのだろうか。自分が持っている発言権を無駄にすることにはならないか。

香港における「逃亡犯条例」改正案反対運動は猛烈な勢いで進行し、二百万人を超える街頭デモにとどまらず、リーダー不在かつ「水になれ」をスローガンとするフラッシュモブ形式の一連の抗議活動にまで発展したころ、わたしはちょうど海外で『私たちの青春、台湾』の巡回上映を行っていた。主催団体はみなこの映画が香港と関連していることを知っていたので、各地では必ず香港を応援する自主的な活動が行われ、わたしが一緒に参加することを望んだ。ある上映会では、匿名の香港の観客から、抗議活動を行う香港の民衆のためのメッセージを求められたこともあった。

そのとき、わたしはまたしても自身にのしかかる期待を感じ、気分が重くなってしまった。このことも、自分は本当にこうやってずっと発言し続けていきたいのだろうか、ということを真剣に考えはじめる要因となった。そこで真摯にこう伝えた。香港の「ため」に何かを言う資格なんて、わたしにはないと思うんです。実際のところ、わたしのほうが香港の人々に学ばせてもらっているのですから。誰もがみな自分自身のために戦っていて、リーダーになることを求めている人はいない。それはもともと単なる理想に過ぎませんでしたが、いまこの時、香港の人々はまさにそれを実践しています、と。けれど振り返って考えてみると、そうだとするならば、発言権を持ちながら「発言しない」選択をとることに、どうしてわたしは罪悪感を覚えてしまうのだろう。

そのとき、新たに悟ったことがある。

わたしははっと気づいた。最初に声をあげたのは、自由だったけれど、付随してきたのは、他者がわたしに投射する過度の期待だった。それだけでなく、自分自身も、かつて映画の中で犯した過ちを再びくり返しつつあった。ただ、今回わたしが期待を投射した対象は、なんと自分自身だった。今回、自分自身への期待こそが、自分の「声をあげない」自由を制限していたのだ。

もし声をあげることを自身の重責として課し続けたなら、様々なプレッシャーによって声が出せなくなり、がんじがらめにされたように感じることだろう。まさに新たな落とし穴に陥るようなものだ。自分自身までもが自分のことを重要人物として位置づけているから、影響力を、露出度を、存在感を、これからも増し続けたいと思ってしまう。実は潜在意識の中で、自分が戦場にとどまって、重視され続けることを期待しているのだ。

けれど、日々フェイスブック上で、無名の顔まで隠した香港の人々が、いかなるリーダーの指示も受けず、同じ目標のために自発的に戦場へ赴きながらも、きわめて強い自制心を持って戦場に未練を残さないでいるのを見ると、心の中はたちまち恥ずかしさでいっぱいになった。実のところ、金馬奨でのスピーチが思わぬ注目を集めたあと、確かにわたしには独りよがりな優越感が生じはじめていた。でも、それはまさに映画『私たちの青春、台湾』の中で、わたしが伝えたかった精神と信念に反している。わたしたちはいつも過度の期待を、他者さらには自分自身に投射してしまう。だからわたしたちはいっこうに自分という個体の本質を正視することができないし、独立した個体同士の真に平等な対話を生み出すことは、さらに難しい。このような対話は、どちらか一方が優越感を抱いているときには永久に生み出されない。けれどこれこそが、わたしの心の中で、本当に追い求めたいと思う目標なのだ。

本書における回顧と整理を通して、わたしはしだいに自分の本質を認識し、自分の政治に対する探究が、長期的なものであることに気づいた。そして今の自分は、発言によってではなく、引き続き作品によって意思を通じ合わせていきたいと考える段階に入っている。今最も望むのは、映像創作の仲間たちとこれからも一緒に励んでいくことだ。他者や自分自身が期待する役割から離れたあと、次に現れる自分は、どうか成長した自分になっていてほしいと願う。

成長したら、ましてや老成したら、もう絶対に青春が戻ってくることはないのか、と問う人もいるだろう。あとがきの最後に、わたしの創作に寄り添い続けてくれた沈可尚（シェン・コーシャン）監督が、映画『私たちの青春、台湾』のためにつけたコメントを引用しよう。「信念さえあれば、青春と別れることは永遠にない」。わたしの信念は、どんな段階に成長を遂げたとしても、前進するにせよ後退するにせよ、対話を願ってこそ、はじめて真の変化がもたらされる可能性があるのだということを、この先もずっと信じ続けていくことだ。ドキュメンタリー映画。それはわたしなりの声をあげる方法であり、たとえわたし一人になったとしても、永遠に続けていくことのできる社会運動なのだ。

映画『私たちの青春、台湾』——国際巡回上映用講演原稿[1]

ご来席のみなさま、こんにちは。映画『私たちの青春、台湾』の監督、傅楡と申します。お忙しい中、この台湾のドキュメンタリー映画のために時間をとって足をお運びいただき、大変光栄に感じています。

このような機会を得ることができたのは、ひとえにこの映画が台湾映画界で最も権威のある金馬奨を受賞したからだと思います。しかし、この場に立ってみなさまとお話しできるのは、決して金馬奨受賞だけが理由ではないこともわかっています。授賞式のステージで、わたしはこの映画への強い想いを込めたスピーチを行いました。そのスピーチが、非常に大きな議論と、政治的で一方的な解釈を呼び起こしました。わたしが今日この場に立っているのは、当時話したことをくり返そうというのではなく、なぜこの映画を撮り、これほどまでに多くの人に観てほしいと願っているのかを、ご来席のみなさまに理解していただきたいからです。

映画『私たちの青春、台湾』は、五年前［二〇一四年］に台湾で起こったひまわり運動を記録

1　**国際巡回上映用講演原稿**　本稿は、アメリカ合衆国議会下院の外交関係者を前にした上映会（二〇一九年五月二二日、於外交委員会公聴会会議室）に際しての、傅楡監督のスピーチ原稿である。

したたけのものに過ぎないと、多くの人が思い込んでいます。ひまわり運動は、たくさんの台湾の若者たちや社会運動の団体によってひき起こされたもので、台湾経済、ひいては台湾の政治的主体性を損ないかねない貿易協定を阻止するための運動でした。この社会運動は、台湾において二四年ぶりとなる大規模なもので、そのため実際には極めて多くのさまざまな要求が含まれていました。しかし、これほど多くの人を引き寄せた最大の原因は、何と言っても、わたしたちは台湾人として強大な勢力を誇る隣人と対峙し、人としての権利が終始尊重されていないという不満と恐れなのでした。

しかし、わたしの映画は、本当はそういったことを記録していただけでは決してないのです。作品を通して観客のみなさまに最も伝えたかったのは、ひとりの人間として、情熱と衝動に満ちた青春期とその後に来る幻滅や妥協、成長を経験し、それでも自分がより良い人間になろうとしつづけることなのです。こうした青春期の模索というテーマは、全人類に共通するものです。そして、その模索の過程で、わたしたちは過ちを犯しがちです。最も犯しやすい過ちが二つあると、わたしは考えます。ひとつは、自分の力をあまりにもたやすく過小評価してしまうこと。もうひとつは、たくさんの人が自分に期待を寄せているとき、自分が本当に全世界を征服できるかのように思い込むことです。わたしの映画の中で、ひいては映画の外にまで続くような形で、わたし自身も含めたすべての主要登場人物が、そうした過ちを犯しそうになっています。それこそが、人と人の関係において、お互いに人として尊重することができなくなってしまう最大の原因なのです。

もう一度申し上げたいと思います。この映画は、金馬奨を受賞する機会を得、ここに来るチャンスにも恵まれましたが、それは作品が特定の政治的価値観だけを訴えているからでは決してなく、作品で模索しているのが普遍的な人間性だからだと、わたしは考えています。この映画は、単なる台湾人に関するドキュメンタリーではなく、わたしもみなさまに台湾がどれほど重要かを知ってほしいと思っているわけではありません。この世界にはこんなにも多くの国があり、台湾は少しも特別な存在ではありません。しかしながら、この映画を通じてより多くの人に理解してほしいと、わたしが心から切に願っていることがあります。台湾という小さな場所に、二千三百万人あまりが暮らしていますが、その一人ひとりが、みなさまと同じように唯一無二の存在だ、ということなのです。いかなる政治的存在であっても、強大な政治権力を擁しているからといって、わたしたちの生存の権利を踏みにじることはできません。あるいは、こうした考え方はあまりに無邪気で、理想主義に過ぎるかもしれませんが、これこそが、わたしが今日この場に立って最もお話ししたかったことです。これもまた、わたしの権利なのだと思っています。

ありがとうございました。

年表　台湾の政治・社会運動と傅榆の人生における重要な出来事

※年表内には事実が確認できない内容も含まれているが、原文のまま翻訳した。

西暦	台湾の政治・社会運動における重要な出来事	傅榆の人生における重要な出来事
一九八二		台北市に生まれる。
一九八四	蔣経国・李登輝が中華民国第七代正副総統として宣誓。 『蔣経国伝』の著者の江南がアメリカで殺害される。	
一九八六	鄭南榕らが龍山寺前で「五・一九緑色行動」を発起し、戒厳令解除を要求。 円山ホテルにて民主進歩党［民進党］が結成を宣言。 増員中央民意代表選挙にて、八四名の国民大会代表と七三名の立法委員を選出。	
一九八七	七・一五、政府が戒厳令解除を宣言。同日に反乱鎮定動員時期［中国共産党の「反乱」を鎮圧するための動員時期］国家安全法を施行。 行政院新聞局が翌年に新規新聞発行禁止を解除することを宣言。	

年	出来事	傅榆
一九八八	蒋経国総統が死去。副総統の李登輝が総統就任。 五・二〇農民運動。南部の数千名の農民が北上デモ行進を行い、農産品の輸入解禁に抗議。 客家系の民衆が台北で「母語を返せ」をテーマとするデモ行進。 原住民団体が台北で「土地を返せ」をテーマとするデモ行進。	
一九八九	鄭南榕、焼身自殺。 中国で天安門事件が発生。	小学生となる。
一九九〇	国民大会の選挙にて、李登輝・李元簇が第八代正副総統に就任。 野ユリ学生運動。 李登輝総統が郝柏村を行政院長に指名したことが、軍人の政治干渉に反対する抗議運動を引き起こす。 李登輝総統により、美麗島事件による受刑者・施明徳に特赦。 国立編訳館が「二・二八事件」を教材に入れることを決定。	

年	出来事	個人
一九九一	蘭嶼島の住民が核廃棄物貯蔵施設設置に抗議デモ。核廃棄物を島に運ぶことをやめるよう要求。 李登輝総統が反乱鎮定動員時期の終わりと「反乱鎮定動員時期臨時条款」を廃止することを宣言。 総統府が、中華民国の民意により国連再加盟申請を行うとの行政院の政策を支持。 民進党が高雄で国連加盟申請の是非を問う公民投票を行うことを要求しデモを起こす。	
一九九二	民進党が「四・一九大規模デモ行進」を行い、総統直接選挙実現を主張。	
一九九三	「新国民党連線」の成員が国民党から離脱し「新党」を結成。 原住民各族が台北市で「反侵占・争生存・還我土地」の大規模デモ行進を行う。	小学五年生となる。この学年の後半から小学校卒業までいじめを受ける。
一九九四	台湾省文献会が、二・二八事件による一〇二四名の死亡・行方不明者の名簿を公布。 教育改革団体が「四・一〇教育改革全民大結合運動」デモ行進を行う。 初の台湾省・直轄市［台北市・高雄市］の首長選挙。台湾省長に宋楚瑜、台北市長に陳水扁、高雄市長に呉敦義が当選。	

一九九五	李登輝総統が政府を代表し、二・二八事件の被害者に謝罪。同年、立法院を「二・二八事件処理及び補償条例」が通過。	
一九九六	蔣介石の長寿を祈念する路という意味の名を持つ台北介寿路が、原住民の族名に由来する凱達格蘭大道との名に改められる。	中学三年に進級。総統選挙に対し、全く印象がなく、アイドルに夢中になっていた。
	中華民国第一回総統直接選挙。李登輝・連戦が正副総統に当選。	
一九九九	「出版法」廃止。新聞・雑誌の創刊に事前の申請登録が必要なくなる。	
	李登輝総統がインタビューを受け「両岸関係は特殊な国と国との関係」と発言（二国論）。	
	李登輝総統と作家の柏楊が共同で緑島人権記念碑を除幕。	
二〇〇〇	陳水扁・呂秀蓮が連戦と宋楚瑜を破り正副総統に当選。中華民国で初めての政権交代。	国立政治大学ラジオテレビ学部に進学。
二〇〇一	李登輝を精神的指導者とする「台湾団結連盟」（台聯）が成立。	
二〇〇二	中華民国が「台澎金馬」の名でＷＴＯ［世界貿易機関］に加盟。	
二〇〇三	第一部「国民投票法」が可決され、国民が公民投票を行う権利が保障される。	

年	台湾の出来事	個人の出来事
二〇〇四	総統選挙直前に三・一九銃撃事件が発生。陳水扁・呂秀蓮の正副総統候補が連戦・宋楚瑜の正副総統候補を破り当選。	大学四年生に進級。初めて総統選挙の投票権を得る。
二〇〇五	中華人民共和国が反国家分裂法を施行。民進党が三・二六護台デモ行進を行う。	国立台南芸術大学音像記録研究科に進学。
二〇〇六	立法院で「国民大会代表選挙法」の廃止が決定。 民進党の前主席の施明徳が「百万人民反腐敗陳水扁打倒」運動を主導。	修士課程二年に進学。父と共に陳水扁打倒運動に参加。
二〇〇八	馬英九・蕭万長が正副総統に当選。 海峡交流基金会董事長の江丙坤と海峡両岸関係協会会長の陳雲林が会談。九年間中断していた両岸の会談が実現。 馬英九政権による人権弾圧に抗議する社会運動「野いちご学生運動」が展開される。	修士課程の卒業作品『鏡よ、鏡』を完成させる。
二〇一〇	両岸経済協力枠組協議（ＥＣＦＡ）が正式に締結される。 新北市「旧台北県」と、県市の合併により新たに誕生した台南市「旧台南県市」・高雄市「旧高雄県市」・台中市「旧台中県市」が、台北市とならぶ直轄市に昇格。五都と呼ばれる。	『青と緑の対話実験室』の撮影開始。

二〇一一	二・二八国家記念館がオープン。馬英九総統が二・二八事件に対し謝罪。 中国大陸の学生が台湾の学校に進学し学位を取得できるようになる。	
二〇一二	華隆労資争議が爆発。自救会が成立し、抗争を起こす。 全国閉廠工人連戦による抗争。 反メディア独占運動。	『青と緑の対話実験室』を完成させる。 蔡博芸の撮影を始め、陳為廷の撮影も続ける。
二〇一三	国道料金徴収員の解雇退職金抗争運動。 苗栗大埔農地徴収事件。 八・一八内政部占領事件。 台湾プラスチックグループの第六ナフサプラント反対運動。 南鉄東移・桃園航空城などで各種の反徴収運動。	中国・香港訪問（陳為廷とともに蔡博芸を訪問する）。 蔡博芸とともに、「啓鳴」両岸探索計画に参加する。
二〇一四	海峡両岸サービス貿易協定の批准に向けた協議が立法院で行われる中、三・一八ひまわり運動が発生。 高校課程要綱調整反対運動。	七日印象電影有限公司に就職する。
二〇一五	時代力量党が成立。	

二〇一六	蔡英文・陳建仁が正副総統に当選。	
二〇一八		『私たちの青春、台湾』が、第二〇回台北映画祭と第五五回金馬奨にて、最優秀ドキュメンタリー賞を獲得。

訳者あとがき

本書には余計な解説などいらない。これほどまでに繊細でしなやかに、そして真摯に自己の内面と向き合い紡ぎ出された語りを前に、物知り顔でいたずらに言葉を付け足すことは、どうにも憚られる行いのように感じられる。まずは我が身をふり返り、それから我がことを徐ろ(おもむろ)に述べるのがせいぜいだろう。多くの読者が読後に駆られる衝動も、外に向けて発することではなく、内に向けて省みることなのではないかと想像する。

この『わたしの青春、台湾』は、語り：傅楡（筆記・構成：陳令洋）『我的青春、在台灣』（衛城出版、二〇一九年）本編の全訳（原書にある推薦文は割愛）に、日本の読者に向けた傅楡監督のことばを付したものである。そもそも本書が日本語訳されるきっかけになったのは、二〇二〇年一〇月末から劇場公開予定の傅楡監督の映画『私たちの青春、台湾［原題・我們的青春、在台灣］』（二〇一七年）の日本語字幕翻訳を、監訳者のひとりである私（吉川）が、ことのなりゆきで担当することになったことである。当初は、いわば字幕翻訳のための資料として、『我的青春、在台灣』を手に取った。しかし、そこに並ぶ誠実で理知的な内省の言葉が、ひまわり運動・中台関係・民主活動などの表向きの重要問題をいとも容易に突き抜け、傅楡監督の内面を通して人間存在の根本的なところにまで達していることに驚かされた。物議を醸した二〇一八年金馬奨での受賞スピーチ直後に台北に滞在し、ざわめく台湾映画界の雰囲気を肌で感じ、中国映画がボイコットした二〇一九年金馬奨にも足を運んだ者としては、傅楡監督に対してバイアスのかかった先入観を持っていたことは確かで、よく知りもせず偏見を持っていたことに申し訳ない思いになったことも確かだ。それはともかく、本書や映画を読んだり観たりすれば、作品が発する深みのあるメッセージを多くの人が感じることができるだろう。そうした傅楡監督の放つメッセージへの共鳴が、本書の翻訳を進める上での契機となり、原動力になったわけだ。

日本語訳にあたっては、監訳者である関根・吉川を中心に、女性史関係の翻訳で実績のある藤井、台湾留学経験があり台湾関連文献の翻訳経験が豊富な山下、字幕翻訳の方面でも経験を重ねてきている佐高という五名のチームを組んだ。そして、映画『私たちの青春、台湾』の日本語字幕翻訳で、台湾語部分の協力者としてお世話になった劉怡臻さんに、全般的な確認担当として参加していただいた。まずはじめに、本文の「繊細でしなやか」というイメージを出すため、一人称は「わたし」とひらがなで表記し、硬い印象を与える表現は極力避けることを決めた。しかし、中国語レベルでは理解できていても、それをきれいに日本語に訳していこうとすると、想像を超える苦戦を強いられた。本書は、はじめから文章として書かれたものではなく、傅楡監督の口述であり、一文が極端に長くなってしまっている箇所や前後で話題がずれてしまっている部分、突然会話形式のような内容が出てくる場面などがあり、翻訳者泣かせな面もあった。そのため、全員が担当箇所を翻訳したあとで、毎週のオンラインミーティングで一カ月半ほどかけて全体の訳のチェックとブラッシュアップを行った。また、読者の理解の一助となるように、山下が中心となり台湾史の概説も準備した。

本書の翻訳の過程で、台湾のデジタル担当大臣として注目を集めるオードリー・タン（唐鳳）氏からの推薦文をいただき、翻訳をする機会があった。訳者が頭を悩ませたのは、「公共事務」という言葉だった。英語にすれば「public affairs」、ところが日本語ではこれに該当する概念が見当たらない。原語の概念が日本語にないというようなことは、翻訳をしていれば日常茶飯事だが、民間が行政を巻き込んで社会的な事業を行っていくということを指す言葉もないということは衝撃だった。新型コロナウイルス感染症に直面して、台湾の社会システムの先進性を具現するアイコンのひとつとなったと言ってもいいオードリー・タン氏の推薦文でもあり、対応に右往左往する日本社会との対照を際立たせているようにも感じられた。そこで思い返してみると、翻訳で手こずった遠因は、社会運動の組織のあり方から、異なるコミュニティー間の交流の進め方に至るまで、日本語には原書で表現されているような概念がなかったからだったのではないか、ということに思い当たった。期せずして、日本社会が抱える構造的な問題を見せつけられたような気持ちにもなった。

翻訳上の細かいところにも言及しておきたい。人名に関しては、原則として中国語読みでカタカナのルビをつけた。そもそも一律に中国語読みのルビでよいのか、迷うところがあった点は書き残しておきたい。ルビの振り方については、平凡社版の「中国語音節表記ガイドライン（メディア向け）」に準拠した。中国語を解する読者なら、傅楡のルビが「フー・ユー」なことに違和感を感じることもあるだろう。ガイドライン準拠の表記に限界を感じることもあったが、統一した基準で揃えることを優先した。その他、全体的に日本語として読みやすくするための工夫はしているが、理解しづらい箇所や誤りがあれば、それは監訳者の責任である。

本書の出版に尽力いただいた五月書房新社のみなさま、特に毎回のように翻訳検討会に参加してくださった片岡力さん、笠井早苗さん、また太秦株式会社の福士織絵さんに、まず感謝申し上げたい。本文に付された注釈の作成については、まだ書籍にあまり記載されていないような近年の事項が多く、インターネット上の情報に頼り、後に確認をとるということが多かった（参考文献については本書末尾に記載）。確認の作業では、劉怡臻さん・福士織絵さんに窓口になって頂き、傅楡監督本人や原書の筆記を担当した陳令洋さんとも連絡をとり、日本側では関西学院大学教授の大東和重先生に貴重なご意見を頂いた。多忙な中ご対応いただいた皆様には、感謝と感激の言葉しかない。「出版の経緯」にもあるように、原書の装幀は、「過去に発生したあまりにも具体的なイメージやある特定の運動に繋がる図像を採ら」ないことが明記されている。本書においても、特定の運動につながるようなイメージを避けた装幀が採用された。特定の意味づけは避けつつ、色を用いて示唆的で印象的な表紙を作り上げてくださった株式会社１００ＫＧの川原樹芳さん、大柴千尋さんさんにも御礼申し上げたい。

この翻訳で学んだことのひとつは、情熱を持って状況と向き合うのが「青春」だということだ。一人ひとりの青春が、いつまでも続きますように。

訳者を代表して　吉川龍生

二〇二〇年九月

解説　台湾の歴史

原住民と中国大陸からの移民（〜一八九五年）

台湾は中国大陸の東方に浮かぶ、台湾本島・澎湖諸島・金門・馬祖・その他の本島周辺の島々からなる島国である。

台湾本島やその周辺の島々、澎湖諸島では、元々オーストロネシア語族の言語を話す原住民が、いくつもの部族に分かれ独自の社会を構成していた。その後、中国大陸から台湾海峡を渡って漢人系の住民がやって来るようになり、その一部が定住を始めた。しかし、歴代の中国王朝はこの地域にほとんど興味を示さず、元や明が澎湖島に役所を置く程度で、その手が台湾本島にまで伸びることはなかった。

一六世紀になると、欧州諸国が東アジア進出を競うようになり、その中頃にポルトガル人によって台湾が「発見」され、「フォルモサ（美麗島の意）」という名が付けられた。中国語の「台湾」との名が定着したのは、その数十年後のことである。このことからも、中国王朝の台湾への興味の薄さを知ることができる。

台湾本島に初めて統治組織を打ち立てたのはオランダであった。一六二四年、澎湖諸島の領有をめぐって明と争ったオランダは、澎湖諸島撤退を条件に、明から台湾本島の占領を認められた。オランダは、台湾南部に貿易と統治のための機構を置き、周辺の原住民を統治し、福建地方から漢人を呼び寄せた。また一六二六年には、スペインも台湾北部を占拠したが、一六四二年にオランダにより駆逐された。

このオランダに代わり、台湾で最初の漢人による政権を打ち立てたのが鄭成功であった。一六四四年、中国大陸で漢人王朝の明が滅び、代わって満洲に起こった清が中国を支配するようになった。福建を拠点に独自の勢力を築き清に抵抗した漢人の鄭成功は、一六六二年にオランダを追い払い、台湾を「反清復明」の拠点とした。鄭成功は同年に病死したが、その子孫が台湾を統治した。

一六八三年、鄭氏政権は清に降伏した。清の版図の一部となった台湾は、はじめて中国と政治的に統合された。清は大陸から台湾への渡航を制限したが、その効果は限定的で、この時期、多くの漢人が台湾に移り住んだ。こうして、台湾では少数の原住民と多数の漢人からなる社会が成立した。なかでも人数の多かった福建省南部から来た福佬人（閩南人）と広東省北部からきた客家人は、独自の言語や風習を持ち続け、それぞれ別のエスニック・グループを形成した。

清は台湾に行政機関を置きその統治を行ったが、乱が起こらない限り、その関与は消極的なものだった。しかし、一九世紀末に日本やフランスが台湾に出兵するなどの外患が高まると、海防を強化し、台湾省や台北府を設置し、鉄道を敷設して近代化に着手するなど、ようやく積極的に台湾を経営するようになった。

日本統治時代（一八九五～一九四五年）

一八九五年、日清戦争後に締結された下関条約により、台湾は日本に割譲され、再び中国大陸と切り離されることになった。日本は占領軍を派遣し、総督府を設置して、台湾の植民地支配を開始した。元々台湾に住んでいた原住民や漢人は、日本から差別され、その権限は制限された。台湾総督府は、治安・行政機関を整備するとともに、種々の近代化事業を押し進めた。道路や鉄道、通信網などが整備され、土地の権利関係や税制も整理され、台湾銀行を設立するなどの金融制度も整えられた。また、「国語」とされた日本語を教授用語とした近代的な教育制度も確立し、その教育を受けた台湾住民の中から教師、技師、医師、弁護士などの中産階級の知識人たちが登場した。

こうした知識人たちを中心として、植民地自治運動などの政治運動や農民運動などの社会運動、中国語や台湾語（福佬語）を使った文化運動が繰り広げられた。そしてこれらの運動を通じ、日本・日本人を対抗相手として、台湾に住む漢人＝台湾人だとの意識が生まれることになった。一方で、漢人内での福佬系と客家系の区別は存続していった。

一九三七年に日中戦争が始まると、台湾では、より一層の日本への同化政策がとられるようになった。日本式姓名への改名や、日本語の家庭内での使用の奨励、神社参拝の強要などが行われ、台湾人としての民族運動は総督府により壊滅させられ、表立ってそれを行うことはできなくなった。

一方、この時期の中国大陸では、一九一一年に清が滅び、中華民国が誕生していた。そして一九一九年に中国国民党が、一九二一年に中国共産党が相次いで結成された。一九二七年以降、中華民国の政権を掌握して国民党政府を樹立した蒋介石と共産党とが対立したが、日中戦争では両党は協力して日本に抗戦した。

光復と二・二八事件（一九四五・四六年）

一九四五年八月一五日、日本の敗戦により、台湾は中華民国に「返還」されることとなった。一〇月一七日、台湾受降式典が行われ、台湾の中華民国への編入が宣言され、その住民は中華民国の国籍を「回復」したものとされた。台湾住民の多くはこの「光復」（中国語で自民族の土地・人民を取り戻すこと）を歓迎した。しかし、光復により中華民国国籍を回復した者やその子孫は「本省人」とされ、もとより中華民国籍を持ち新たに台湾に居住するようになった者やその子孫である「外省人」とは区別された。

国民党政府による軍事・行政・司法・教育・研究・報道機関などの接収と再編が始まると、本省人エリートたちは、新生台湾の政治・経済・文化の担い手となることを期待した。しかし、新たに「国語」とされた中国語の習得が不十分だとして、彼らの政府機関への採用は見送られた。また、経済的・文化的にも本省人は抑圧された。更に、国民党による無秩序な統治は、社会秩序の悪化を生み出し、本省人たちの不満が蓄積されていった。

一九四六年二月二十七日、台北市内で闇タバコ売りにより生計を立てていた寡婦が取締りの官吏に殴打されたことをきっかけに本省人たちの憤懣が爆発し、翌日には全台北市が暴動状態となった。二・二八事件の発生である。暴動は台湾全土に広がり、翌三月一日には島内の主な都市で、本省人市民と軍が対峙する局面へと発展した。国民党政府はこれを反乱とみなし、軍事的に鎮圧し、逮捕状なしの連行や裁判なしの処刑が行われ、多くの本省人の知識人や有力者たちが犠牲となった。

蔣介石の時代（一九四六〜七五年）

一九四六年、中国で、国民党と共産党の内戦が再開された。戦況は次第に共産党に有利な状況となり、一九四九年になると国民党は台湾への撤退準備を本格化させた。五月には台湾で戒厳令が施行され、住民の言論・結社・出版などの権利が大きく制限されるようになり、国民党による権威主義体制が確立されていった。またこの時期、多くの外省人が台湾に移り住み、台湾社会は、外省人・福佬系本省人・客家系本省人・原住民の本省人の四つのエスニック・グループに大別される多民族社会となっていった。

一九四九年十月、共産党によって中華人民共和国の成立が宣言された。中華民国の国民党政府は、同年十二月に台湾に移転した。この時、中華民国は大陸の福建省沿岸に近接する金門島や馬祖島の防衛に成功し、台湾海峡の制海権・制空権を保持し続けることとなった。中華人民共和国による金門島砲撃は一九七九年まで続いたが、一九五〇年に勃発した朝鮮戦争以後、中華人民共和国と中華民国との対立は基本的に膠着し、台湾は再び大陸と切り離されることとなった。台湾が中国と同じ政治的境域内にあった時間は、わずか四年間であった。

台湾撤退後、蔣介石は「大陸反攻」を唱え、中華人民共和国と正統な中国政府としての地位を争った。台湾内部では新しい政党の成立を禁止して一党独裁を続け、反共産主義の名目の下、体制に批判的な人間を逮捕・投獄・処刑する白色テロを続けた。また、反乱鎮定動員時期、即ち共産党の「反乱」を鎮圧する動員時期であるとして、総統を選び憲法を改正する権限を持つ国民大会代表や、国会議員に当たる立法委員の任期を、「大陸の回復」まで延期し「万年議員」として、国政レベルでの政治への新規参加の道を閉ざした。一方で、地方においては県・市の長や議員の選挙が許され、そこでは本省人を含む国民党に属さない政治家「党外人士」も当選した。

この蔣介石による一党独裁体制や白色テロへの批判から、本省人を中心に、国民党を打倒して中国と関係ない台湾という国を建国したいという「台湾独立」の考えが生まれた。またこうした状況を背景に、「台湾ナショナリズム」が形成されていった。

蔣経国の時代（一九七五～八八年）

蔣介石が老齢になると、徐々にその権力は息子の蔣経国に移譲された。蔣介石死後の一九七八年に総統に就任して名実ともに最高指導者となった蔣経国は、経済発展のための大規模なインフラ整備を始めたり、本省人の登用政策を進めたりするなどの改革を行った。また、国民大会代表・立法委員についても、増員という形で台湾地区の議席が定められ、国政への新規参加の道が開かれた。

一方で蔣経国は、権威主義体制の継続を図り、言論弾圧を行った。一九七九年には党外人士によって創立された雑誌『美麗島』主催のデモ活動を取り締まり、関係者を叛乱罪で起訴して投獄する美麗島事件が起こった。しかしその後、立法委員や地方議員に立候補した事件関係者の家族や弁護団のメンバーが当選したことで、自由化・民主化の流れを止めることが既に不可能なことが明らかとなった。

一九八六年、党外人士により、民主進歩党（民進党）の結成が宣言された。蔣経国はこれに対し「不法だが処罰しない」との態度をとり、民進党は同年の国民大会代表・立法委員の増員定員選挙で躍進した。

その後も自由化への要求は日に日に拡大し、数多くの社会運動が展開された。このような世論を受け、蔣経国は一九八七年七月一五日午前零時をもって三八年間続いた戒厳令を解除し、翌年には新規新聞の発行禁止も解除され、報道の自由化も進んだ。

李登輝と民主化・台湾化（一九八八～二〇〇〇年）

一九八八年に蔣経国が亡くなると、憲法の規定により副総統の李登輝が残りの任期を引き継いで新総統となった。李登輝は蔣経国によって登用され台北市長や台湾省長を歴任した本省人で、ここにおいて台湾は初めて台湾生まれの人物を政治のトップに置くことになった。

一九九〇年、総統を選ぶ国民大会が始まり、李登輝は再選を目指した。この時、国民大会の万年議員が報酬の増額を要求したことに世論が反発し、数十名の学生が中正紀念堂広場に座り込み、反乱鎮定動員臨時条項の廃止や国民大会の解散などを要求する野ユリ学生運動が起こった。李登輝は学生の代表と会談し、改革を進めることを約束した。前年の天安門事件で学生運動を弾圧した中国共産党政権との違いが浮き彫りとなった。

その後、李登輝は民主化・台湾化政策を押し進めていった。一九九一年、反乱鎮定動員時期の終結を宣言し、中華民国は共産党を「反乱」と見做すことをやめた。万年議員を存続する根拠がなくなり、彼らを退職させ、翌年には初めての全面改選の立法委員選挙を行った。一九九四年には初の台湾省長と直轄市の台北市長・高雄市長の選挙を実施し、台北市長には民進党の陳水扁が当選した。そして一九九六年、ついに総統直接選挙を実現し、李登輝自身が当選して台湾初の民選総統となった。また、憲法を改正し総統の再選を一度までとし、自身は二〇〇〇年の総統選に出馬しないことを表明した。総統の任期終了前年の一九九九年、李登輝は台湾と中国は特殊な国と国の関係だとの二国論を発表し、中国からの大きな反発を受けたが、台湾内部では一定の支持を得た。

青陣営と緑陣営の時代（二〇〇〇年〜）

二〇〇〇年、第二回の総統直接選挙が行われ、民進党の陳水扁が当選して政権交代を成し遂げ、約半世紀にわたって続いてきた国民党の台湾支配が平和裏に終わりを迎えた。

これ以後の台湾の政治は、国民党やそれに近い政党の「青陣営」と、民進党やそれに近い政党の「緑陣営」による、総統選や立法委員選での選挙戦が焦点となっている。選挙では、中国と一体感を持つ「中国ナショナリズム」の強いものは青陣営を、台湾の独立を志向する「台湾ナショナリズム」の考えを持つものは緑陣営を支持する傾向がある。また、外省人は青陣営に投票し、福佬系本省人は緑陣営に投票するなどの、エスニック・グループごとの投票傾向も見られる。そして選挙戦の争点となるのは、台湾の主体性を重視するが、国家としては民主化・台湾化した中華民国を支持する「台湾アイデンティティ」を持つ大多数の中間層の有権者を、どちらの陣営が取り込むことができるかということだった。

第二代民選総統の陳水扁は、二〇〇一年の民進党の立法委員選勝利を背景に、台湾ナショナリズムを前面に打ち出し、台湾と対岸の中国はそれぞれ一つの国であるとする「一辺一国論」を主張した。二〇〇四年の総統選では、前年のＳＡＲＳ隠蔽などによる中国への警戒感の高まりが後押しとなり、僅差での再選を果たした。しかし任期二期目には、金銭スキャンダルや、過激な台湾化による中台関係の不安定化を心配する声によって中間層の支持を失い、陳総統と民進党の支持率は大幅に低下した。

二〇〇八年の総統選では、外省人の国民党主席の馬英九が、「統一せず、独立せず」の方針を掲げて当選した。台湾語を学ぶなど、台湾アイデンティティへの歩み寄りの姿勢により、中間層での支持を広げたことが勝因となった。馬総統は、台湾・中国間の直行便就航や大陸からの台湾旅行解禁を行い、中国との関係を密にしていった。また、中国の対台湾窓口機構の大陸両岸関係協会会長の陳雲林の来台も実現した。この時、馬政権の対中政策や集会の規制に抗議した学生運動「野いちご学生運動」が起こったが、台湾社会に大きな影響を与えることはできなかった。

二〇一二年、中国との交流による経済的恩恵を受けたい中間層の取り込みに成功した馬英九が総統に再選した。しかし、この二期目の馬政権の更なる中国への接近に、台湾の民衆は次第に不安を覚えるようになっていった。二〇一三年、馬英九は、中国と「海峡両岸サービス貿易協定（中台が互いのサービス産業の企業に市場参入を認める協定）」に調印したことを突如発表した。この協定に対し、政治的意図を持った中国企業が台湾を席巻しかねないことや、言論の自由化が脅かされかねないことへの懸念が指摘され、審議がなされたが、馬英九は国民党が立法院で過半数を握っていることを頼りに強行採決に踏み切って協定を発効させようとした。三月一八日、これに不満を持つ一〇〇名以上の学生たちが、立法院に突入して占拠し、その後も連日数万人の民衆が学生たちを支援するために集まった。三〇日には五〇万人が参加するデモが馬政権への抗議を行った。馬政権はこれらの運動を無視できず、海峡両岸サービス貿易協定の審議は見送られることとなり、学生たちは立法院の議場から退場した。この一連の抗議活動は、三・一八ひまわり運動と呼ばれている。この運動後、馬政権の支持率は低迷した。

二〇一六年の総統選では、民進党の蔡英文主席が当選し、民進党が再び政権の座に返り咲いた。蔡総統は中国を刺激しないようにつとめつつも、経済の中国依存からの脱却を目指した。しかし、年金改革や同性婚、脱原発などの改革案がうまく進まず、徐々に支持率が低下した。二〇一九年、中国の習近平国家主席が、台湾は中国の一部であり、その独立は認めず、統一後は香港と同様の「一国二制度」を適用するとの演説を行った。蔡総統はこれに対し、台湾の人民が自由と民主主義を堅持していることを尊重すべきで、「台湾の未来は私たち自身で決める」と主張し、その支持率は大幅に回復した。同年六月、香港で逃亡犯引き渡し条例（いわゆる送中条例）反対の抗議活動が始まって以降、翌年には中国から押しつけられた国家安全維持法に抵抗する激しい抗議活動も展開する中で、台湾では中国への危機意識が高まっている。こうした社会的状況を背景に、蔡総統は二〇二〇年の総統選で史上最多の得票数を得て再選を果たした。蔡政権二期目の現在、新型コロナウイルス対応が世界的に高く評価されたことも影響して、台湾の国際的プレゼンスはこれまでになく大きくなってきている。

（二〇二〇年九月）

参考文献リスト

赤松美和子・若松大祐編著『台湾を知るための60章』（明石書店、二〇一六年）
大東和重『台湾の歴史と文化 六つの時代が織りなす「美麗島」』（中央公論新社、二〇二〇年）
呉介民著、平井新訳「「太陽花運動」への道――台湾市民社会の中国要因に対する抵抗――」『日本台湾学界報』（二〇一五年）
呉密察監修、遠流台湾館編著、横澤泰夫日本語版編訳『台湾史小事典　第三版』（中国書店、二〇一六年）
施學昌「太陽花（ひまわり）が訴えているもの――台湾の学生運動が台・中経済関係に与える影響――」『産業セミナー二〇一四』（関西大学経済・政治研究所、二〇一五年）
周婉窈『台湾歴史図説（三版）』（聯経［台北］、二〇一六年）
村上和也「中華民国（台湾）における政治体制の移行――権力闘争と「統独」問題を中心にして――」（『北大法学研究科ジュニア・リサーチ・ジャーナル』第四号（一九九七年）
平井 新「「移行期正義」概念の再検討」『次世代論集（2）3-44』（早稲田大学 地域・地域間研究機構、二〇一七年）
若林正丈・家永真幸編『台湾研究入門』（東京大学出版会、二〇二〇年）

【インターネット】

注釈の作成にあたっては、各担当者がさまざまなサイトを参照したが、映画情報に関してはＩＭＤｂや各映画祭のサイトなどを参照した。人名や事項に関しては、ウィキペディア（日本語・中国語）などを参照し、出所が不明確な情報に関しては、傅楡監督や陳令洋氏はじめ台湾の関係者に確認した。

特に参照した日本のサイトとしては、次のものがある。

小笠原欣幸先生のホームページ　http://www.tufs.ac.jp/ts/personal/ogasawara/
ＪＥＴＲＯの台湾に関する各種調査レポート　https://www.jetro.go.jp/world/asia/tw

【翻　訳】

藤井敦子（ふじい・あつこ）

1975年埼玉県生まれ。慶應義塾大学大学院後期博士課程単位取得退学、修士（史学）。慶應義塾大学、フェリス女学院大学、横浜国立大学、慶應義塾高等学校等の非常勤講師を経て、現在、立命館大学BKC社系研究機構客員協力研究員。専門は中国女性史・中国近現代文学。共著に『女性記者・竹中繁のつないだ近代中国と日本——1926～27年の中国旅行日記を中心に——』(2018)、翻訳（共訳）に『蟻族——高学歴ワーキングプアたちの群れ』(2010) など。

山下紘嗣（やました・ひろつぐ）

1983年神奈川県生まれ。慶應義塾大学大学院後期博士課程単位取得退学、修士（史学）。慶應義塾大学経済学部・商学部、中央大学商学部、フェリス女学院大学文学部などで非常勤講師。専門は日中法制史・隋唐史。台湾史に関する翻訳も。著作に「律令条文に規定される皇太子の権限とその実態」『法制と社会の古代史』(2015) 所収、「礼制から考える隋の皇太子」『慶應義塾中国文学会報第1号』(2017) 所収など。

佐高春音（さたか・はるね）

1986年東京都生まれ。東京大学大学院博士課程単位取得退学、修士（文学）。慶應義塾大学経済学部・文学部、埼玉大学教養学部、鶴見大学文学部、早稲田大学法学部などで非常勤講師。専門は『水滸伝』をはじめとする明清白話小説。翻訳（日本語字幕）に中国語舞台劇『解忧杂货店（ナミヤ雑貨店の奇蹟）』(2017) など。

【翻訳協力】

劉怡臻（りゅう・いしん）

1984年台湾台中生まれ。明治大学大学院教養デザイン研究科後期博士課程在籍中。国立台湾大学日本語文学研究所（文学）修了。慶應義塾湘南藤沢高等部非常勤講師（中国語担当）。専門は日本統治期台湾文学研究・近代詩研究。著作には「植民地台湾における啄木短歌の受容について——1931年ブームから考える」『世界は啄木短歌をどう受容したか』(2019) 所収、「王白淵與日本大正詩壇的交會——論『荊棘之道』詩作對於野口米次郎文學的接受」『文史台灣學報第十一号』(2017) 所収など。

略　歴

【語　り】

傅榆（フー・ユー）

第55回金馬奨最優秀ドキュメンタリー映画賞受賞作『私たちの青春、台湾（原題・我們的青春，在台灣）』監督。現在、インディペンデント・ドキュメンタリー映画制作に携わり、主に台湾の若者たちの台湾政治や社会に対する価値観や態度についてテーマとし注目している。短編ドキュメンタリー映画『完美墜地（A Perfect Crash）』で、2016年香港華語紀録片節（中国語ドキュメンタリー映画フェスティバル）短編部門最優秀賞を受賞。2018年には、長編ドキュメンタリー映画『私たちの青春、台湾』で、金馬奨及び台北映画祭で最優秀ドキュメンタリー映画賞受賞。

【筆記・構成】

陳令洋（チェン・リンヤン）

国立清華大学台湾文学研究科修了。二・二八共生音楽フェスティバルに実行委員会メンバーとして参加。文学雑誌『文訊』などで作品を発表している。

……………………………………………………………………

【監　訳】

関根謙（せきね・けん）

1951年福島県生まれ。慶應義塾大学大学院修士修了、博士（文学）。埼玉県立高校教諭、北陸大学助教授、慶應義塾大学文学部教授、同文学部長を歴任。現在文芸誌『三田文學』編集長。専門は中国現代文学、とりわけ日中戦争時期の南京・重慶など都市における文学状況。当代文学の翻訳紹介も。著書に『抵抗の文学――国民革命軍将校阿壠の文学と生涯』（2016）、翻訳に『南京 抵抗と尊厳』（阿壠著2019）、『飢餓の娘』（虹影著2004）など。

吉川龍生（よしかわ・たつお）

1976年神奈川県生まれ。慶應義塾大学大学院後期博士課程単位取得退学、修士（文学）。慶應義塾高等学校教諭を経て、慶應義塾大学経済学部教授。専門は、中国映画史・中国近現代文学・外国語教育。翻訳（日本語字幕、共訳）に映画『フーリッシュ・バード』（黄驥・大塚竜治監督2017）、著作に「台湾「健康写実映画」と一九三〇年代上海映画」『台湾ローカル文化と中華文化』（2018）所収など。傅榆監督『私たちの青春、台湾』（2017）の日本語字幕も担当。

【翻訳分担】

日本の読者の皆さまへ・出版の経緯・自序・第一章・第二章……関根　謙
第三章・第八章・年表・解説台湾の歴史……山下紘嗣
第四章・あとがき（前半）……藤井敦子
第五章・国際巡回上映用講演原稿……吉川龍生
第六章・第七章・あとがき（後半）・写真キャプション……佐髙春音

わたしの青春、台湾

本体価格……一八〇〇円
発行日……二〇二〇年一〇月二三日　初版第一刷発行

著　者……傅榆（フー・ユー）
監訳者……関根謙（せきねけん）・吉川龍生（よしかわたつお）
発行者……柴田理加子
発行所……株式会社　五月書房新社（ごがつ）
東京都世田谷区代田一―二二―六
郵便番号　一五五―〇〇三三
電　話　〇三（六四五三）四四〇五
ＦＡＸ　〇三（六四五三）四四〇六
ＵＲＬ　www.gssinc.jp

装幀……川原樹芳・大柴千尋（株式会社１００ＫＧ）
編集／組版……片岡　力
印刷／製本……株式会社　シナノパブリッシングプレス

我的青春、在台灣
Our Youth in Taiwan

ISBN: 978-4-909542-30-4 C0036